인 터 뷰

인터뷰

발　행 | 2024년 08월 21일
저　자 | 김광현
펴낸이 | 한건희
펴낸곳 | 주식회사 부크크
출판사등록 | 2014.07.15.(제2014-16호)
주　소 | 서울특별시 금천구 가산디지털1로 119 SK트윈타워 A동 305호
전　화 | 1670-8316
이메일 | info@bookk.co.kr

ISBN | 979-11-419-0148-6

www.bookk.co.kr

인터뷰

김광현 지음

CONTENT

프롤로그

이 작은 책을 통해 나는 자녀 교육, 지구온난화, 인종차별 등, 현대인이라면 한 번쯤 생각해 볼 문제를 아주 쉽게, 그리고 조금은 학문적 아웃사이더의 관점에서 소개하고자 했다. 고민 끝에 인터뷰 형식을 빌렸고, 덕분에 인문학적 수다 떨기와 비슷한 분위기를 만들 수 있었다.

따라서 여기서 나오는 모든 인물은 허구이지만, 일상의 틀에 갇힐 수 있는 사고에 신선한 바람을 불어넣고 언젠가는 큰 즐거움으로 되돌아올 수 있는 지식의 조각들을 정성껏 담아 보았다.

인터뷰 #1

자녀 교육

- 안녕하세요, 인터뷰에 응해주신 것에 감사드립니다.
- 네, 안녕하세요.
- 선생님은 유네스코의 지식관리정보체계국 KMI에서 근무하신 다음, 태국 사무국을 거쳐 국제도서관협회연맹 IFLA이라는 NGO에서 활동하고 계시죠?
- 네.
- 본래 교육학을 전공하셨고, 오래전부터 대안 교육에 관심을 가지신 걸로 알고 있습니다. 오늘 주제는 아주 현실적인 겁니다. 요컨대 많은 학부모가 자녀 교육 때문에 항상 걱정하는데, 개인적인 조언을 주셨으면 합니다.
- 네. 인터뷰를 의뢰받고 나름 준비했습니다. 하지만 이 야기를 어떻게 쉽게 풀어가야 할지 나름 고민했습니다. 학술적인 얘기를 다 빼야 할 거 같았거든요….

- 죄송합니다. 처음부터 너무 어려운 내용을 소개하면 독자들이 부담을 느낄 것 같아서요….
- 그렇겠죠. 하지만 유아심리학이나 지능발달론의 기본 정보는 도서관이나 인터넷에도 많이 있긴 합니다.
- 그렇긴 하죠.
- 네. 그럼 시작하겠습니다. 우선, 자식이 잘되기를 원하면 학교에 보내지 말아야 합니다.
- 네?!
- 만약 보낸다면 학교가 뭔지 알고 보내든지요.
- 휴. 저는 인터뷰가 벌써 끝나는 줄 알고 순간 걱정했네요. 하하하.
- 하하하. 편하게 이야기하라고 하시길래…. 우선 학교는 국가 존립에 필요한 기관이라는 사실이 중요합니다. 국토만 가졌다고 국가를 세울 수 있는 게 아니라 국가 의식이 있어야 하잖아요. 언어도 통일해야 하고 신화 내지는 역사도 공유해야 하지요. 그래서 의무교육이 생긴 겁니다. 그 덕분에 대다수 나라의 문맹률도 낮아졌고 산업화가 진행되면서 배울 것도 많아졌지만, 학교는 근본적으로 국민을 만드는 제도입니다. 의무교육이라는 이름 아래, 아이를 학교에 보내는 일은 너무나도 당연해졌지만, 학교는 절대로 돌멩이를 다이아몬드로 만들지 못합니다.
- 맞습니다.

- 게다가 학교에서 공부를 잘한다고 정말 똑똑한 것도 아니고요. 행복한 건 더더욱 아닙니다. 학교에서 공부 잘하려면 그 제도에 순종할 줄 알아야 합니다. 어떤 아이가 아주 똑똑한데 교육 시스템에 복종 안 하면 결과는 참담하겠죠. 어떤 학자들은 이렇게 말합니다. 학교는 사회적 위계질서를 유지하기 위해 미리 아이들을 등급으로 분류하는 기관이라고… 요. 학교를 졸업하면 특정 계층으로의 편입을 당연하게 받아들이게 된다는 무서운 발상이죠.
- 그러네요. 바꾸어 말하면 학교는 꼴찌 하는 아이에게 사회에 나가도 그렇게 될 거라고 마음 준비를 시킨다는 말씀이죠?
- 그렇습니다. 애플 M. Apple이라는 사람이 그렇게 주장하는데 완전히 틀린 말이 아닙니다.
- …. 정말 아이를 학교에 안 보내는 게 나을까요?
- 그건 농담입니다. 불가능하지도 않지만요…. 어쨌든 학교에 대해 다시 한번, 또는 다른 각도에서 생각해 보자는 거죠.
- 아, 네.
- 그러면 제가 질문해 볼게요. 똑똑한 아이와 그렇지 못한 아이는 분명히 있잖아요. 그런데 지능은 선천적일까요, 후천적일까요? 저는 후천적이라고 보지만요….

- 맞아요. 이 문제도 수많은 논쟁을 불러일으켰지만, 저도 후천적이라고 생각합니다.
- 동물과는 달리 사람의 뇌는 태어날 때 거의 백지 생태에서 아주 정교해지는 단계를 거칩니다. 무게도 400그램에서 1.4킬로그램으로 늘어나는데 아이가 다섯 살이 되면 거의 어른의 뇌 무게를 갖게 됩니다. 태어나는 순간부터, 아이는 무수히 많은 것을 배우기 시작하는데 그것은 거의 평생 이어집니다. 흔히 우리는 아이가 말을 배운다고 하잖아요. 하지만, 말하기 전에 아이는 언어 이전의 언어를 이미 알고 있답니다. 예를 들어, 아이가 모든 걸 입에 집어넣으려고 할 때가 있어요. 그건 자기 몸과 주변의 사물을 파악하는 단계입니다. 딱딱한 것과 부드러운 것, 먹을 수 있는 것과 그렇지 못한 것 등을 스스로 체험하는 거죠. 사물의 세계를 배우는 거죠. 그다음에는 손에 쥔 것을 마구 던지는 단계가 있어요. 그건 자기중심적 공간의 개념이 생기는 단계이자 그런 행위가 어떤 결과를 가져오는지를 가늠하는 단계죠…. 내일이라는 단어를 예로 들자면, 그 개념은 상대적이잖아요. 내일의 내일은 모레고 어제의 내일은 오늘이잖아요. 이 같은 상대적 개념을 터득하기 위해 아이는 〈지금-나〉의 시공간적 기준을 터득해야 하는 거죠. 처음에는 고정된 시공간에서 시작하지만, 나중에는 가상적 시공간까지 설정할

수 있게 됩니다. 대단한 학습 욕구이죠? 이런 내용은 피아제 J. Piaget의 인지발달 4단계에서 가져온 겁니다.

- 네. 아이는 자기가 표현하는 것보다 훨씬 더 많은 걸 느끼거나 알고 있다고는 들었습니다.

- 바로 그겁니다. 그다음에 말하기 시작합니다. 정확히 말하면 이미 터득한 인지 능력이 밖으로 나오는 거죠. 그러기 위해서는 호흡과 발성을 동시에 처리할 줄 알아야겠죠. 처음에 아이는 한 단어 문장만을 사용합니다. 〈엄마〉, 〈까까〉, 〈아빠〉라고요. 그리고 세 살쯤 아이는 두 단어 문장을 쓰기 시작합니다. 이를테면 〈엄마 까까〉라고요. 이런 문장은 여러 뜻을 가질 수 있는데 〈엄마 까까 여기 있어〉도 되고 〈엄마 까까 줘〉도 되죠. 다의성을 갖는다고 하잖아요. 두 단어 문장은 주어/술어라는 인간 언어의 보편적 문법 구조이기도 합니다. 다섯 살부터는 웬만한 모국어 문장을 다 구사하는데 이때부터 아이는 〈이게 뭐야?〉라는 질문을 퍼붓기 시작합니다. 이 단계가 지나면 〈왜?〉로 시작하는 질문이 쏟아집니다. 이런 단계를 거치면서 아이는 지능의 기반을 다지는데 대다수 부모는 이 시기가 얼마나 중요한지 잘 모르는 거 같습니다.

- 문제의 핵심에 다가온 느낌이네요.

- 맞습니다. 이 시기에 아이가 평생 갖게 되는 지능이

결정되거든요. 0~5세 사이에 말이죠.

- ….

- 〈이게 뭐야?〉라는 질문을 퍼붓는 시기는 아이가 단어를 습득하는 단계를 의미합니다. 본능적으로 어휘들을 배우고 싶은 거죠. 인간은 언어를 통해 현실을 해석하기 때문에 이때 부모는 정말 성의껏 답해야 합니다. 아무리 귀찮아도 말이죠. 아이가 물으면 기분 좋게 〈이건 국자란다〉, 〈이건 영어 사전이란다〉 식으로요…. 아이가 많은 단어를 배울수록 보는 세상도 달라지거든요. TV 수신기의 해상도와 비교할 수 있습니다. 저해상도 화면에서 안 보이는 것이 고해상도는 보이잖아요. 좀 과장해서 말하면 백여 개의 단어만 아는 사람과 십만 개 이상의 단어를 구사하는 사람의 세상은 다르거든요. 미켈 안젤로라는 이름을 들어본 적이 없는 사람에게 그 인물은 존재한 적도 없는 거죠. 어떤 부모가 그런 본능을 무시하거나 귀찮아하면 정말 큰일 납니다. 아이가 그런 질문을 안 해도 걱정해야 합니다. 어쨌든, 만약 아이가 〈이게 뭐야〉고 묻는데 부모가 〈시끄러워. 귀찮게 하지 마!〉라는 반응만 보인다고 가정합시다. 이런 경우, 아이는 한 개의 단어를 못 배우는 게 아니라 〈몰라도 된다〉는 위험천만한 원칙을 배우게 됩니다. 이건 치명적이죠. 그냥 독약입니다. 그런 환경에서 자란 아이가 커서 방정식을 배우는

날이 오면 그 아이의 인지는 〈몰라도 된다〉고 반응합니다. 이런 아이에게는 아무리 고액 과외를 시켜도 소용이 없습니다.

- 힐.

- 네. 방금 언급한 사례는 일부러 과장한 것이지만, 아이 주변 환경이 이런 호기심을 충족할 만한 여건을 허락하지 않아도 결과는 마찬가지입니다. 부모와 소통할 기회가 없거나 그것이 두려운 아이는 배우고자 하는 본능을 다소나마 잃게 되는 거죠. 〈왜?〉라는 질문도 비슷한데, 그것은 인과관계를 배우려는 본능 표출입니다. 이것을 근본적으로 무시해 버리면 어떻게 되겠습니까? 사물이나 사건의 관계를 이해할 수 없을 겁니다. 아니 이해할 필요를 못 느끼는 거죠. 구석기 이전으로 돌아가는 셈입니다. 사실, 일상을 살아가려면 초등학교 3학년까지 배우는 것만 있어도 되거든요. 그냥 살아가는 데는 영어도 필요 없고, 중2 때 배우는 미국 독립 전쟁도 아무 소용이 없잖아요. 말씀하셨듯이, 〈몰라도 된다〉는 원리를 터득한 아이는 이런 주제가 나올 때마다 책상에 엎드려 잠만 가는 거죠.

- 올더스 헉슬리의 소설 〈멋진 신세계〉에서 나오는 인간 계급 중 감마 계급이 떠오르네요.

- 그렇죠. 그런데 오늘 소개하는 내용이 어렵나요? 이런 것도 모르고 어떤 학부모는 그냥 학원에만 보내고,

할 것 다 했다며 대충 살잖아요. 게다가 요즘 엄마들은 거의 모두가 비싼 대학을 졸업했는데 말이죠.

- 그래서 일부 학부모들은 아이를 조기유학 보내는 걸까요?

- 어휴. 여기서 안 되는데 다른 나라 간들 잘 되겠습니까? 책상에 엎드려 자던 애들이 똘똘 뭉쳐서 이제는 온갖 권리를 따지면서 신나게 놀 텐데요. 게다가 엄마나 아빠가 주고 간 신용카드로 소비 경쟁만 일삼을 게 뻔하고요. 그건 아이를 한 번 더 죽이는 꼴입니다.

- 그러면 아주 구체적으로 0~5세 아이에게 무엇을 해줘야 하는지 말씀해 주시죠.

- 하하하. 그건 아주 비싼 정보인데요….

- ….

- 농담이고요. 그런데 미리 짚고 넘어갈 것은 대상이 인간이기 때문에 자극-반응 기대치가 다소 낮다는 겁니다. 예를 들어 자동차 공장에서 방금 나온 차 열 대가 있는데 시동을 걸면 다 걸리겠죠. 이런 경우 기대치는 100%입니다. 그런데 개 열 마리를 세워놓고 차례로 한때씩 때리면 아프다고 소리치는 녀석이 70% 정도 되고 나머지 반응은 제각각일 겁니다. 덤비는 놈도 있겠죠. 인간은 그 수치가 더 떨어지는데 대략 60% 정도라고 합니다. 제가 직접 실험한 건 아니지만요. 하하하. 이 말은, 아무리 지능발달에 좋은 환경을

마련해도 인간은 기계가 아니라는 말입니다.

- 알겠습니다.

- 그러면 아주 쉽게 이야기해 볼게요. 음…, 아이의 지능발달을 도우려면, 태아 교육은 여기서 빼기로 하고요, 아이에게 다양한 소통을 제공해야 합니다. 스킨쉽에서 눈 맞춤까지, 다양한 단어는 물론이고 아이에게 안정감을 안겨주는 말소리 등으로 바깥세상도 편하다고 느끼게 해줘야 합니다. 여기까지는 모든 엄마가 잘할 겁니다. 그리고 하루에 한두 시간은 클래식 음악을 작게 틀어 놓습니다. 너무 어려운 거 말고 바흐나 모차르트 정도요. 좀 전에 말했듯이, 아이가 손가락이나 이유식 그릇 같은 걸 자꾸 입에 넣으려 해도 그냥 내버려 둡니다. 과정이니까요. 나중에 아이가 손에 쥔걸 자꾸 던져도 야단치면 안 되겠죠. 자! 이제 가장 중요한 〈이거 뭐야?〉 단계로 접어들었을 때, 3~4세 때죠, 아주 성의껏 대답해 주는데 간혹 부모도 해당 단어를 모를 수 있잖아요. 그러면 인터넷이나 사전에서 아이가 찾는 단어를 함께 찾는 겁니다. 그러면 아이는 작은 노력 끝에 무언가를 얻는 즐거움을 배우게됩니다. 이쯤 됐을 때는 음악도 클래식과 재즈를 섞어도 되고요. 그냥 자연스럽게 좋은 화음을 접하는 거죠. 화음은 가장 아름다운 조합이니까요. 그런 아이는나중에 싸구려 음악 정도는 구분할 겁니다. 그리고 중

요한 건 아이를 일찍 재워야 합니다. 아이의 뇌는 너무 많은 정보를 받아들이고 있어서 휴식이 절대적으로 필요합니다. 휴식이 가장 필요한 시간이 저녁 8시에서 10시라고 합니다.

- 제 주변에는 아이를 일찍 재우는 사람들이 없는 거 같은데요….

- 그럴 겁니다. 더 중요한 건 아이가 잠들 때 부모가 책을 읽어줘야 한다는 겁니다. 나는 그리스 신화를 추천합니다. 왜 그런지 아세요?

- 음…. 언어의 힘을 일깨워 주는 걸까요?

- 맞습니다. 신화는 실화가 아니잖아요. 그런데 그리스 신화에는 여러 신이 등장하면서 서로 싸우고 사랑하고 시샘하고 복수하는데 그건 인간 사회의 여러 갈등을 아주 화려하게 일종의 알레고리, 말하자면 은유와 상징으로 표현하는 이야기잖아요. 이를테면 내용은 완전 픽션이지만, 신들의 관계는 너무 인간적인 동시에 표현은 아주 고급인 셈이죠. 〈항해 도중 오디세우스 일행은 포세이돈의 아들이자 외눈박이 거인 폴리페모스의 동굴에 갇히게 되는데, 그를 취하게 만들어 눈을 멀게 하는 꾀를 내어 탈출에 성공하지만, 포세이돈의 분노를 사 바다 위를 떠도는 동안 숱한 고난을 당하게 된다〉는 줄거리는 황당무계하면서도 튼튼한 서사구조를 갖고 있고 아주 고급스러운 어휘로 전개됩니다.

이런 이야기에 익숙해지는 아이는 언어의 엄청난 힘을 얻게 되는 겁니다. 현실을 훌쩍 뛰어넘어, 존재하지 않는 세상을 마음껏 여행하게 해주는 언어의 마력을 발견하는 거죠. 아시다시피, 일상에서 쓰는 언어는 매우 단조롭습니다. 맛있다, 예쁘다, 배고프다, 배부르다는 식이죠. 하지만 〈여행하게 하는 언어〉를 터득하면 영국의 명예혁명, 마야 문명, 다빈치 등의 역사도 아주 가깝게, 그리고 재미있게 다가오게 됩니다. 그래서 지명이나 고유명사도 다양하게 소개해야 합니다. 아이 방에 세계지도 하나 붙여 놓는 것도 방법이고요. 우주 계획에 참여하는 엔지니어 중 어릴 때 쥘 베른의 〈달나라 여행〉을 안 읽은 사람이 없잖아요.

- 지식이 주는 쾌감을 알게 된다는 말씀이네요.

- 네. 창의력도 빼놓을 수 없고요. 이렇게 추상적인 언어를 자유자재로 다루게 되면 수학은 저절로 잘하게 됩니다. 앞서 말했듯이, 문제를 풀려고 노력하면 그것이 풀리는 쾌감을 아는 거죠. 게다가 추상적인 사고, 달리 말하면 상상력의 언어는 무에서 유를 창출할 수 있는 도구이기도 하죠. 소설가나 시나리오 작가, 영화감독, 심지어는 물리학, 우주공학도 코 앞에 있는 것만 다루지는 않잖아요.

- 부모 역할이 제법 어렵네요.

- 전 그렇게 생각하지 않습니다. 아이와 성의껏 소통하

고 가끔 음악을 틀고, 자기 전에 중고 서점에서 사 온 책을 읽어 주는 게 그리 힘들거나 큰돈이 드는 일도 아니잖아요. 일종의 습관이라고 볼 수 있습니다.

- 하지만 많은 사람들이 그런 습관을 갖고 있지 않을 텐데요….

- 사회계층에 따라 다르죠. 아주 자연스럽게 다양한 소통을 중요시하는 사람도 있고, 덜 그런 이들도 있겠죠. 하지만 좋은 습관은 배워야죠. 바로 이 점이 오늘 인터뷰의 핵심입니다. 하하하.

- 하하….

- 전 여기에 추가하고픈 게 몇 가지 있어요. 예를 들면 매주 한 번은 별식을 하는 겁니다. 멕시코 음식, 태국 음식, 인도 음식 등을 맛보게 하는 거죠. 인터넷에 수많은 레시피가 있잖아요. 요즘은 외국인 동네에 가면 식재료들도 다 구할 수 있어요. 미각은 참 중요하답니다. 뇌를 맛있게 자극하고 나중에 어떤 나라에 가도 항상 반갑고요. 그리고 그 맛에 대해 야기를 나누는 겁니다. 그럴 때 부모는 정확한 어휘를 사용하는 게 중요하겠죠. 오래전에 프랑스의 사회언어학자들이 조사한 연구를 읽었는데, 4~5세 아이들의 어휘 사용을 조사한 결과 계층에 따라 이미 큰 차이를 드러냈다고 합니다. 어떤 그림을 보여주고 느낀 걸 말하라고 하니까 어떤 아이들은 그냥 〈좋아요〉, 〈멋있어요〉 정도의

반응을 보였다면, 다른 아이들은 벌써 색채, 색감, 내용, 기초 형식을 말할 수 있었답니다. 슬픈 현실이죠….

- 솔직히 저는 부모의 그런 노력이 현실적으로 가능한지 조금은 의문입니다.

- 그러면 아무 노력 없이 그냥 아이들을 학원에만 보내면 될까요? 집에서 음악을 들어본 적이 한 번도 없는 아이에게 체르니만 시키면 무슨 소용 있겠습니까? 오히려 평생 음악을 멀리하게 할 겁니다.

- 그건 좀 그렇지만요….

- 또 있어요. 아이가 여덟 살쯤 되면 여행을 가는 겁니다. 아빠랑 배낭 메고 라오스도 가고, 아니면 엄마랑 한 달간 프놈펜에서 살아보던가요. 그곳의 햇빛, 냄새, 음식, 더위를 함께 맛보는 거죠. 경제적 여건이 되면 파리에서 한 달 살기도 재밌고요. 샤넬 가방 하나 안 사면 가능할 겁니다. 하하하. 그런데 샤넬 가방에 미친 사람들은 아이를 그냥 호텔 뷔페에만 데려가잖아요….

- 하하하. 제 주변을 봐도 휴가 때 친구들은 패키지로 동남아 무슨 리조트에 틀어박혀 있다가 오는 거 같았습니다. 큰돈을 쓰면서요….

- 라오스 루앙프라방에서 백패커들이 찾는 숙소 가격이 대충 얼마일 거 같아요?

- 3~4만 원 정도요?

- 2만 원이면 트윈 베드에 에어컨도 있답니다. 그러니까 파리를 제외하면 돈 문제가 아닌 거죠. 그냥 사고의 문제죠. 어릴 적에 MIT나 콜레쥬 드 프랑스 얘기를 들은 아이는 언젠가 그런 학교에서 강의를 듣고 싶은 욕구가 생길 수 있는데 그렇지 않은 아이는 서울대가 최고겠죠.

- 하지만 이런 혜택을 받은 아이가 학교에서 잘 적응할까요. 오히려 왕따당하지 않을까요?

- 아마도 그렇겠죠. 아닐 수도 있고요. 하는 수 없죠. 나는 왕따라는 단어를 처음 들었을 때 세상이 이토록 치사해질 수 있는가 하고 놀랐습니다. 못난 놈들이 똘똘 뭉쳐 만들어 내는 집단주의적 광기라고 생각했어요.

- 아이에게 세상을 왕따시키는 방법을 가르치면 어떨까요? 하하하.

- 맞아요. 하하하. 어쨌든 오늘 말한 것들은 다 선택 사항입니다. 선택하는 사람들에게 들려주는 요령이죠.

- 네.

- 그렇지만 학교 적응보다 더 무서운 게 있어요. 그건 TV와 스마트폰입니다. 우선 TV는 집에서 없애야겠죠. 이상하게 생긴 이들이 나와서 무슨 섬에서 밥해 먹는 건 볼 필요가 없을뿐더러 공해 덩어리입니다. 시간 낭

비이자 인지 및 시력 낭비입니다. 스마트폰의 중독은 무조건 피해야 하는데 그건 좀 어려울 거 같긴 합니다.

- 이제 스마트폰 없으면 친구도 없을 거 같은데요.

- 그럴 겁니다. 하지만 부모는 노력해야 합니다. 정말 노력해야 합니다. 어느 날 무슨 마트에서 커피숍 앞을 지나는데 유모차에 앉아 있는 아이에게 핸드폰을 건네주고 수다 떠는 아줌마들을 본 적이 있어요. 어휴. 저는 그걸 보면서 산업 혁명 당시 탄광에 들어가야 하는 영국의 젊은 엄마들이 갓난아이에게 소량의 아편을 먹였다는 글이 생각났어요.

- 하기야 그 시절에 아편은 마약으로 분류되지도 않았잖아요.

- 스마트폰 중독은 설탕 중독과 같습니다. 둘 다 도파민을 분피하게 만들죠. 어떤 사람들은 도파민을 쾌락분자라고 부르지만, 정확히 말하면 그것은 시상 하부에서 분비되는 신경호르몬이죠. 어쨌든 어떤 욕구가 충족됐을 때 느끼는 쾌감의 화학적 반응입니다. 그런데 아이의 모든 쾌감을 스마트폰으로 얻는다면 세상을 어떻게 살 수 있겠습니까? 무슨 책을 읽을 것이며 무슨 음악을 제대로 이해할 수 있겠습니까? 만약 어떤 아이가 부모와의 소통도 없고, 한 살 때부터 스마트폰에 코를 박고 자랐는데, 한 번도 음악을 들은 적

도 없을뿐더러 책을 읽어 준 사람도 없이, 텔레비전에서 떠드는 연예인만 보면서 여섯 살이 됐다고 생각해 보세요.

- 어휴, 참담하네요.

- 탄광 시절이나 스마트폰 시절이나 무지는 변함이 없는 거죠. 그래서 실현 가능성을 따지기 전에 나는 오늘 이야기한 것의 일부만 실행으로 옮겨도 손해 볼 건 없다고 생각합니다. 내가 아는 친구는 30년간 대학에서 문화적 혜택을 받아보지 못한 학생들을 가르쳤어요. 90%의 학생들이 학업에 의미를 두지 못하는 걸 매일 봤답니다. 이미 치킨집이나 차릴 생각만 하는데 포스트모더즘 미학을 소개하면 역시 잠만 오겠죠. 그런 얘기를 듣고 참으로 안타까웠습니다. 어떤 단체들은 노동해방 운동을 하잖아요. 나는 무지 해방 운동이 선행되어야 한다고 생각할 따름입니다.

- 선생님이 생각하는 그런 운동 단체가 있나요?

- 없는 걸로 알고 있습니다.

- ……

- 우리 선조 중에는 멋진 인물도 있고 기막힌 문화유산을 남겼잖아요. 스피노자, 케플러, 다윈, 타지마할, 아치 공법, 한글, 원근법, 파스퇴르… 너무 많잖아요. 지금도 이어지고 있고요. 국경 없는 의사회, 그린피스, 스탠리 큐브릭, 마일스 데이비스 등요. 이런 걸 모르

고 살면 너무 큰 손해가 아닌가요?

- 세상에는 맛있는 음식이 많은데 그냥 몰라서 컵라면 만 먹는 사람이 있다는 생각이 듭니다. 마지막으로, 음…. 아이에게 가장 큰 도움이 되는 한 가지가 있다 면 무엇일까요?

- 책 읽는 엄마 모습입니다.

- 책 읽는 엄마 모습요? 음…, 무슨 말씀인지 알겠습니 다. 그런 모습은 단정한 인테리어에서 어쩌면 기본 매 너를 지키는 식사 시간도 내포하겠네요.

- 당연하죠. 공간과 행동의 체계성을 모르고 자란 아이 에게 무얼 기대하겠습니까? 참, 〈이디오크러시〉라는 영화 보셨나요?

- 아뇨.

- 꼭 보세요. 영화 미학은 접고 보시고요. 여하튼 웃깁 니다.

- 아, 참. 저는 독자들에게 〈캡틴 판타스틱〉을 추천하고 싶네요.

- 그 영화도 시사하는 바가 많죠.

- 오늘 이야기 잘 들었습니다. 쉽게 말씀하시느라고 정 말 수고하셨습니다. 감사합니다.

- 네. 책 나오면 한 권 보내주세요.

- 당연하죠. 감사합니다.

인터뷰 #2

지구는 괜찮은가요?

- 우선, 화상 통화로 인터뷰에 응해주신 것에 감사드립니다. 솔직히 말하면, 저는 지인의 추천으로 프랑스의 모멘텀 연구소를 아주 최근에 알게 되었습니다. 한국에는 산업 사회가 무너질 수 있다는 문제를 심각하게 고민하는 단체나 인물이 그리 많지 않습니다. 공중파 방송에서 제작한 과학 다큐멘터리에서 지구온난화 문제를 한두 번 다루었지만, 이런 주제를 가지고 토론하는 프로그램은 본 적이 없습니다. 일상에서 그런 주제를 꺼내 봐도 사람들은 전혀 관심이 없습니다. 저도 정말 지구가 위험에 처했는지 궁금하기도 하고, 만약 그렇다면 어느 정도인지…, 그리고 우리 독자들과도 이런 문제를 공유하고 싶어서 이렇게 인터뷰를 요청했습니다. 다시 감사드립니다.
- 저는 우리의 활동을 알릴 수 있다는 걸 항상 기쁘게

생각합니다.

- 그러면 지금 선생이 대외협력 담당자로 있는 모멘튬 연구소를 간략히 소개해 주시죠.

- 네. 파리에 본부를 두고 있는 우리 연구소는 산업 사회의 붕괴가 가져올 사회적 충격에 대응하고, 저성장 사회로의 변화에 대비하는 연대 의식을 도모하고자 하는 비영리 싱크 탱크입니다. 우리 단체는 학자, 언론인, 엔지니어를 비롯한 각종 분야의 활동가로 구성되고 우리 시대가 직면하는 여러 과제에 대응하는 데 온 힘을 쏟고 있습니다.

- 그러면 아주 간단한 질문으로 인터뷰를 시작하겠습니다. 지구는 괜찮은가요?

- 아뇨.

- …. 아주 확실하게 대답하시네요. 음…. 솔직히 말하면, 저는 지구온난화를 앞세워 산업 사회의 붕괴를 경고하는 이들을 보고 좌파 지식인들의 마지막 몸부림 내지는 사생결단이라고 생각한 적도 있어요. 이런 말에 너무 놀라지 마시고요. 따지고 보면 저도 우파는 결코 아닙니다.

- 그렇게 생각할 수 있지만 〈카본 4〉를 창립한 잔코비시 J-M. Jancovici나 지금 유엔 사무총장으로 있는 구테흐스 Oliveira Guterres와 같은 인물을 보세요. 그들은 히피 출신도 아니고 외로운 좌파도 아닙니다.

한마디 덧붙이자면 우리는 공포를 조성하려는 의도는 더더욱 없습니다.

- 조금만 더 우겨볼게요(웃음). 한국은 워낙 좁은 땅이라서 어디 혼자 가서 텐트 칠 만한 곳도 없지만, 오래 전에 캐나다를 여행할 때 지구에는 아직 녹지대가 많다고 느낀 적이 있어요.

- 캐나다 면적이 9,985,000km² 인데 농경지는 386,900km², 즉 3.67%에 불과할 뿐만 아니라 전체 면적의 반이 영구동토층입니다. 영구동토층이 녹지만 않으면 나름 자연림의 기능을 갖겠지만 이젠 그게 녹고 있어요. 따라서 제2의 아마존이라고 보기에는 문제가 있습니다.

- 알겠습니다. 문외한이 기차 여행하면서 보는 것과는 전혀 다른 문제가 있네요. 우리 인터뷰의 목적은 대학이나 일반 연구소에서 다루지 않는 문제를 파헤치는 데 있습니다. 당장 영구동토층에 관해 묻고 싶지만, 일단은 지구가 어떤 위험에 처했는지 포괄적으로 설명해 주시면 좋겠습니다. 천천히, 그리고 편하게 이야기하시기 바랍니다.

- 네. 문제는 매우 복합적인 성격을 갖습니다. 모든 게 상호 연결되어 있습니다. 우선, 지구온난화, 생태계 파괴, 석유 고갈, 물 부족의 문제를 언급할 수 있습니다. 거기에 토양 침식 및 퇴화를 비롯해, 인산염 고갈

과 인구 증가의 문제도 있어요. 이런 문제는 특정 지역이나 국가에 국한되는 게 아니라, 범지구적인 것으로서 어느 작은 부분만 무너져도 연쇄작용을 일으킬 수 있습니다. 그것은 지정학적 균형을 통째로 흔들어 놓을 수 있고, 사회 기능 자체를 마비시킬 수도 있습니다. 기아, 전쟁, 난민 사태가 발생할 뿐만 아니라 각 나라에서는 유례없는 폭력 사태로 인해 치안이 무너지는, 그야말로 대책이 없는 상태에 빠질 수 있습니다. 어떤 이들은 영화 〈매드 맥스〉의 세계가 도래할 거라고 하더군요.

- 그러면 산업 사회의 몰락 또는 붕괴를 어떻게 정의할 수 있나요?

- 우리 연구소에서 큰 활약을 하고 있고, 오래전에 환경부 장관을 지낸 이브 코쉐 Yves Cochet는 산업 사회의 붕괴를 〈인간의 기본적인 필요(물, 음식, 주택, 의복, 교통, 보안, 에너지)가 법으로 규제되는 제도에 의해 국민에게 더 이상 제공되지 않는 과정의 결과〉라고 정의했습니다. 여러 학자가 이 정의를 사용하고 있습니다.

- 그러면 언제부터 이런 문제가 대두되기 시작했죠?

- 로마 클럽이라는 단체가 본격적으로 이런 문제를 제기하는데 놀랍게도 1972년으로 거슬러 올라갑니다. 로마 클럽은 이탈리아 실업가인 아우렐리오 페체이와

스코틀랜드의 과학자인 알렉산더 킹이 1968년에 처음 로마에서 만났기 때문에 그렇게 불렸습니다. 이 두 사람은 유럽과 미국의 과학자, 경제학자, 교육자, 경영자들로 구성되는 모임을 만들고, 유한한 자원을 갖는 지구가 날로 지속하는 경제성장을 버틸 수 있는지를 알아보기로 합니다. 잘 아시겠지만, 당시는 자본주의의 황금기였고 1973년은 산업 사회가 최초의 오일쇼크를 겪는 해이기도 하죠. 어쨌든, 로마 클럽의 요청으로 1972년에 MIT의 젊은 과학자 네 명이 〈성장의 한계〉라는 보고서를 발표하게 되는데 그중 메도즈가 그 발표를 맡습니다. 그래서 〈메도즈 보고서〉라고 불린 거죠. 이 연구의 데이터 분석은 MIT 경영대학원의 제이 포레스터가 맡습니다. 그는 최초로 램 메모리를 개발하는 사람이기도 합니다. 로마 클럽의 요청에 따라 포레스터는 〈월드 1〉이라는 시스템 다이내믹스 프로그램을 개발하기에 이릅니다. 시스템 다이내믹스란, 주어진 문제 내지는 예상되는 문제에 대하여 그것과 직·간접적으로 관련된 변수들로 구성된 시스템을 정의하고 변수들의 관계를 정량적으로 분석하여 컴퓨터 모델화한 후 일련의 시뮬레이션을 통해 시스템의 동적인 특성을 밝혀내는 방법입니다. 그는 데니스 메도스, 도넬라 메도즈, 요르겐 란데르스, 윌리엄 베렌스와 함께 〈월드 1〉을 프로그램하는데, 그들의 목적은 당시의 인구 증가 속도, 자원, 산업 자본, 서비스 자본, 식량 자원이라는 변수들이 어떻게 상호 영향을 미치는 지를 시뮬레이션하는 데 있었습니다. 〈월드 1〉의 분석 결과가 나오자 그들은 기절초풍합니다. 인구가 증가하고 경제가 계속 성장할 경우, 2040년쯤에는 인간이 만들어 낸 산업 문명이 붕괴할 수 있다는 결과가 나왔기 때문이죠. 그 이후 월드 2와 3이라는 개선된 프로그램을 가지고 더욱 복잡한 변수들을 모델링해서 12개의 시뮬레이션 결과를 얻어내는데, 강도와 시기의 차이는 있지만 모든 결과는 하나같이 우리가 아무런 대책을 세우지 않는다면, 산업 문명이 붕괴할 것이라고 예고합니다. 이런 분석을 담은 책이 그 유명한 〈성장의 한계〉입니다. 하지만 이런 분석에 반기를 든 이들도 많았고 가장 거센 반론을 제기한 쪽은 당연히 신자유주의 경제학자들이었습니다. 그러다가 이 책의 존재는 사람들의 기억 속에서 사라졌습니다. 사실 기억에 새겨진 적도 없을 겁니다. 그러면서 반세기가 지났습니다.

- 그때 무슨 대책을 세웠다면 좀 나았을까요?
- 아무래도 이 지경까지는 안 왔을 것 같습니다. 그사이에 경제 세계화가 일어났고 우리는 더 많은 물건을 더 싸게 구매할 수 있었죠. 덕분에 중국이 아무런 환경 제재 없이 급성장했습니다. 개발도상국의 중산층도

왕성한 소비력을 키웠고 1970년에 세계 인구는 37억이었는데 얼마 전에, 정확히 말하면 2022년 11월 14일에 80억을 넘었고요. 지구 크기는 그대로인데, 소비와 인구와 석유 사용량이 기하급수적으로 증가한 겁니다. 이제는 지구 대기층에 이산화탄소가 너무 쌓여서 평균 기온이 올라가고 있습니다. 그런데 지구온난화는 〈성장의 한계〉에서 고려하지 않은 변수입니다! 그래서 2014년에 멜버른 대학교의 터너 G. Turner 교수가 〈월드 3〉의 데이터를 재정비하여 현대식 컴퓨터로 다시 시뮬레이션했는데 결과는 〈성장의 한계〉가 보여준 분석 결과와 똑같았습니다. 붕괴 시기도 같습니다.

- 네. 오늘 다루는 주제가 무거울 수밖에 없네요. 계속 말씀하시죠.

- 네. 지구온난화는 이제 가장 이슈화되는 문제로 떠올랐습니다. 지구는 태양 빛을 흡수하고 그것을 복사열의 형태로 다시 방출합니다. 대기의 온실가스가 적외선을 흡수하면서 복사열 방출 속도를 줄입니다. 산업혁명이 시작하면서부터, 다시 말해 인간이 화석연료를 다량 사용하기 시작하면서 온실가스의 양이 너무 증가했습니다. 결국 복사 불균형 현상이 발생한 겁니다. 지구온난화의 경고가 세계적으로 공표된 것이 1992년인데 이산화탄소 배출량은 1990년 27.75기가 톤에서

2019년 43.12기가 톤으로 155% 증가합니다.

- 그렇다면 Covid-19 판데믹, 또는 코로나 사태로 인해 세계 경제가 얼어붙었을 때는 어땠습니까?

- 2020년도에만 40기가 톤으로 약간 감소했습니다.

- Covid-19 판데믹 정도의 충격만이 7% 정도 감소를 끌어낸 셈이네요. 산술적으로만 보면, 이산화탄소 배출을 반으로 줄이려면 Covid-19 판데믹과 같은 대재앙이 일곱 번 일어나거나, 일곱 배 강도 높은 것이 한 번 일어나야 하는데 그야말로 산업 체계는 붕괴하겠군요.

- 그렇게 볼 수도 있지만, 이미 배출된 이산화탄소는 대기권에 수백 년 이상 머뭅니다. 따라서 인간이 내일 당장 화석연료 사용을 멈춘다 해도 온난화는 지속된다는 게 문제입니다. 너무 비관론에 빠지면 안 되지만, 현실은 이렇습니다.

- 이산화탄소의 배출은 교통, 제조업, 난방, 전력 생산에 필요한 에너지 사용에서 발생하잖아요, 그러면 메탄가스는요?

- 이산화탄소 농도가 지난 2백만 년 중에서 최고치를 기록한다면 메탄의 농도 역시 지난 80만 년 중 최고 수치를 보이고 있습니다. 메탄가스는 주로 가축 목축, 천연 거름 이용, 쌀 재배, 쓰레기 매립, 폐수, 석탄 및 석유, 천연가스 채굴 과정에서 배출됩니다. 그리고 이

제는 영구동토층이 녹으면서 다량 배출되기 시작했어요. 인터뷰를 시작할 때 언급한 영구동토는 2년 이상 온도가 0도 이하인 땅을 가리키는데 이것은 기본 정의이고 실제로 북극 근처의 동토는 수천 년 내지는 수만 년이 넘은 것들입니다. 북극지방에는 기온이 영상으로 오르는 여름에도 매우 깊은 동토층이 자리 잡고 있는데 그 면적은 북반구 땅의 24%, 또는 2,500만 km^2에 해당합니다. 즉 러시아 영토의 60%, 캐나다 북부의 50%, 그린란드의 24%가 영구동토층이죠. 그런데 최근 수십 년간 이어진 북극지방의 기온 상승 때문에 영구동토층이 부분적으로 녹고 있습니다. 지난 100년 동안 지구 평균 기온은 1.2도 올랐는데 북극 지역에는 3도가 상승했거든요. 이미 1980년대부터 세계 여러 나라의 학자들은 〈국제 영구동토층 네트워크〉를 만들어 천여 곳의 영구동토를 조사했지만, 대중의 관심을 끌지 못했습니다. 그리고 2019년에 독일 알프레드 베게너 극지해양연구소는 영구동토층 154곳의 온도 변화를 분석했는데 동토층의 평균 온도가 0.29~1도 상승했다는 사실을 확인했다고 합니다. 또한 2019년 10월에 시베리아 해 동쪽에서 영구동토층을 조사하던 세밀레토프 교수팀은 북극 바다에서 메탄 기체가 올라오는 모습을 처음으로 포착합니다. 땅속에서 뿜어 나오는 메탄이 활활 불붙는 걸 확인합니다. 현장에서 대기 중 메탄 농도를 측정한 결과, 그 수치는 16ppm이었고 그것은 평균 1.85ppm에 비해 아홉 배 높은 수준이었죠. 영구동토층은 수천 또는 수만 년 전에 묻힌 동식물의 사체와 미생물을 대거 담고 있는데, 말 그대로 영구동토가 그대로 얼어 있으면 미생물은 일종의 동면 상태를 유지하지만, 온도가 높아지면 다시 활동을 시작하면서 유기물을 분해하기 시작합니다. 그 결과 이산화탄소와 메탄이 만들어지는 거죠. 이 두 기체는 지구온난화의 주범이고 특히 메탄은 이산화탄소보다 더 강한 온실 효과를 냅니다. 이때 악순환이 가동하는데, 온난화로 영구동토가 녹으면서 온실가스를 배출하고 온실가스 때문에 온난화가 가속되는 겁니다. 이것을 양성 피드백이라고 하죠. 이미 2018년 미국의 NASA도 북극 영구동토가 녹는 속도가 식물이나 조류의 광합성 속도에 비해 너무 빠르기 때문에 온실가스가 대기 중에 쌓인다는 보고서를 발표했습니다. 뿐만 아니라, 영구동토가 빠르게 녹으면 지반이 꺼지면서 물이 고이는 〈열카르스트〉 지형이 생기고 그것은 다시 물웅덩이 아래의 영구동토를 더 빨리 녹게 만든다고 경고합니다. 가장 놀라운 건 북극 지역의 영구동토층은 1조 7천억 톤의 이산화탄소를 품고 있다는 사실이며, 이것은 현재 온실가스를 채우고 있는 이산화탄소량의 두 배에 해당합니다. 그래서 환경론자들은 영구동토층을 시한폭탄이라고 부르는 겁니다….

- 거의 공포 영화네요….
- 구글맵을 위성 모드에 놓고 캐나다 중서부 지역을 확대해 보세요. 얼마나 물웅덩이가 많은지 놀라실 겁니다.
- 네 오늘 당장 확인해 보겠습니다.
- 그런데 사람들은 지구의 평균 기온이 1도 내지는 2도 올랐다는 말의 의미를 잘 모르는 듯합니다. 평균 기온은 지구 여러 곳 기온의 평균치일 뿐, 지역에 따라 큰 차이가 있거든요. 특히 바다 수면 온도와 육지 온도가 다르게 상승합니다. 바다에서 1도가 오르면 육지에서는 두 배가 오르죠. 따라서 평균 온도가 3도 오르면 육지에서는 6도 이상 오를 수 있다는 말이 됩니다. 그런데 지난 30년 사이에 기온의 편차는 뒤죽박죽되면서 점점 벌어지고 있습니다. 기후 혼란이 시작됐다는 말이죠. 텍사스에 몰아닥친 한파와 밴쿠버의 찜통더위를 기억하실 겁니다. 캘리포니아 산불은 이제 일상이 되었고요. 게다가 지구의 평균 기온이 3도 오르면 북극과 남극의 얼음이 녹아 해수면을 더욱 상승시켜 고도가 낮은 지역이 침수되거나 만 개 이상의 섬

이 지도에서 사라질 겁니다. 당연히 인천공항도 물에 잠기고요. 그나저나 저는 스웨이츠 빙하가 아주 걱정됩니다.

- 스웨이츠 빙하라뇨?

- "종말의 빙하"라고 불리는 스웨이츠 빙하가 예상치 못한 방식으로 빠르게 녹고 있으며 5~10년 안에 붕괴할 수 있다는 연구 결과가 나왔습니다. 2019년과 2020년 사이에 미국과 영국의 공동연구팀이 남극 서부에 위치한 스웨이츠 빙하의 가장자리 지점에서 600m의 깊은 구멍을 뚫고 그 구멍 아래로 해저 탐사 로봇을 내려보냈습니다. 빙하와 바다가 만나는 지점, 다시 말해 기후변화가 빙붕에 어떤 영향을 미치는지 확인하는 게 목적이었습니다. 그런데 이 연구팀은, 상대적으로 따뜻하면서 염분을 지닌 물이 크레바스라고 하는, 즉 빙하가 갈라져서 생긴 틈과 같은 구멍으로 흘러 들어가면서 균열을 넓히고, 매년 30미터 이상의 융해를 일으키면서 빙하의 상태를 불안정하게 만들고 있다는 것을 확인했습니다. 스웨이츠 빙하가 붕괴하면, 몇 주만에 지구의 해수면이 2미터 상승하게 됩니다. 스웨이츠 빙하가 버틴다 해도 해수면 상승을 가장 걱정해야 하는 도시는 뉴욕, 방콕, 상하이, 도쿄, 다카, 암스테르담, 마이애미 등이지만 이집트의 나일 델타가 침수

되면 아주 심각한 식량난이 발생할 겁니다. 인도네시아가 수도를 자카르타에서 보르네오섬 동칼리만탄으로 이전하잖아요. 그리고 아프리카에서 기온이 4도 상승한다는 것은 더 이상 사람이 살 수 없음을 의미하죠. IPCC의 데이비드 웰스는 〈평균 기온이 4도 상승하면 거의 매년 전 지구적인 기근이 발생하고 일사병과 열사병에 의한 사망이 9% 증가한다〉고 하지만, 우리는 인류 역사상 유례없는 난민 발생을 우려하고 있습니다. 예를 들어 아프리카와 중동에서 3억 명이 난민이 유럽으로 몰려온다고 상상해 보세요.

- 총체적 난국이네요. 생태계는 어떤 변화를 겪고 있는지요⋯

- 생물다양성 과학기구 IPBES 보고서를 인용할게요. 전 세계 1400명의 과학자들이 조사한 결과, 200년 동안 동물 종의 멸종 속도가 자연적인 속도보다 10배에서 1000배 더 빨랐습니다. 이 속도로 간다면 지구는 500년 안에 종의 75%를 잃을 것입니다. 이것을 여섯 번째 멸종이라고 부르는데 이번에는 인간이 그 장본인입니다. 구체적으로 말하면 척추동물(포유류, 어류, 조류, 파충류, 양서류)의 68%가 1970년에서 2016년 사이에 사라졌습니다. 곤충의 40%가 감소하고 있으며 양서류의 41%와 갑각류의 27%가 지구 표면이나 해저에서 단기간에 사라질 위험이 있습니다. 육지 환경

의 75%가 크게 바뀌었는데 습지의 85% 이상이 파괴되었습니다. 해양 환경의 66%가 손상되었습니다. 해양 동물 군에게 먹이와 종묘장을 제공하는 해초 지역의 30%가 20세기 동안 파괴되었습니다.

- 언젠가 꿀벌이 사라진다는 보도를 본 적이 있는데 같은 맥락이네요.

- 그렇죠. 전 세계 식량의 90%를 차지하는 100대 농작물 중 70%가 꿀벌을 포함한 곤충의 수분 활동 덕분에 생산됩니다.

- … 그러면 수자원 문제는 어느 정도 심각하나요?

- 현대인은 수돗물 사용을 당연시하고 가격도 싼 덕분에 물의 가치를 잊고 삽니다. 만약 우물을 사용한다면 계절에 따라 물 높이가 변하는 걸 알 수 있을 텐데요…. 여하튼 지난 1세기 동안 세계 인구가 3.5배 증가하는 사이에 물 소비는 여섯 배 증가했습니다. 1kg의 쇠고기를 생산하려면 거의 15,000리터의 물이 필요한데 육류와 유제품에 대한 수요는 인구 증가보다 더 빠르게 늘고 있습니다. 그런데 담수는 지구상 모든 물의 2.5%밖에 안 되거든요. 그중에서도 69%는 얼음이나 눈으로 저장되어 있습니다. 현재 추세가 지속된다면 2030년에는 18억 명의 인구가 물이 절대적으로 부족한 지역에 살게 될 것이고 세계 인구의 3분의 2가 고통을 겪게 될 수 있습니다. 유엔에서는 물 기근

국가와 물 스트레스 국가를 구분하고 있지만 우리가 가장 걱정하는 지역은 사헬 지역을 비롯해 알제리, 예멘, 이스라엘, 캘리포니아 등인데 일부 지역에서는 물 전쟁까지 우려됩니다. 이미 중국이 메콩 강 상류에 댐을 너무 많이 지어서 라오스와 캄보디아와 베트남 남부 수자원이 고갈되고 있답니다.

- …. 석유 고갈은 그야말로 산업 체계를 송두리째 흔들어 놓을 텐데 상황은 어떤가요?

- 우선 두 가지의 원유를 구분해야 합니다. 지층 사이에 유전이나 가스전을 찾아낸 뒤 긴 파이프를 집어넣어 원유를 끌어올리는 것이 재래식 추출 방식이고, 그런 원유를 재래식 원유라고 부릅니다. 21세기에 나타난 새로운 기술은 지층 사이의 유전이나 가스전만을 대상으로 하는 것이 아니라, 파이프를 땅속 아주 깊은 곳까지 박은 다음 지층 사이가 아니라 지층 속에 분산되어 있는 미성숙 석유와 가스도 화학적으로 분해해서 위로 끌어올리는 기술을 말합니다. 이렇게 얻은 원유를 비재래식 원유, 즉 셰일 오일이라고도 합니다. 후자는 엄청난 비용과 에너지를 필요로 합니다. 재래식 원유 생산은 이미 2007년에 정점을 찍었고, 국제 에너지기구에 따르면 2030년에는 원유 생산 자체가 정점을 찍는다고 합니다. 그런데도 운송 부문의 수요 증가로 인해 2030년에 석유 수요는 2006년에 비해

37% 증가할 것으로 전망됩니다. 어쨌든 석유가 하루 아침에 고갈되는 건 아닙니다. 하지만 생산량이 줄기 시작하면 가격이 급상승할 뿐만 아니라, 지정학적 변화를 비롯해 세계 금융계가 요동치면서 예측불허한 사태가 발생할 수 있다는 점이 문제입니다. 일부 경제 분석가들은 2008년의 금융위기의 뇌관이 근본적으로는 피크오일이었다고 하더군요.

- … 이런 인터뷰를 요청한 것이 참 다행이지만, 이 모든 문제를 몰랐으면 마음이라도 편했을 거라는 생각도 드네요.

- 그렇지만 주변 사람들에게 많이 알려야 합니다.

- 네, 그렇겠지만 사람들이 소비를 줄일 수 있을지는 모르겠습니다.

- …….

- … 그러면 녹색 성장에 대해서는 어떻게 생각하세요.

- 사실 그 단어는 모순덩어리입니다. 녹색은 성장일 수가 없어요. 그런 정책은 끝내 성장하겠다는 의미로밖에 풀이가 안 됩니다. 프랑스에 사용하는 transition énergétique라는 단어도 마찬가지입니다.

- 그 말은 〈에너지 전환〉으로 풀이되는데….

- 에너지를 계속 쓰겠다는 말이죠. 게다가 인류는 에너지를 전환한 적이 없어요. 석탄에서 석유로 넘어온 게 아니라 석탄 사용량에 석유 사용량이 추가됐을 따름

입니다. 나무에서 석탄으로 넘어온 적도 없습니다. 산업 혁명 초기에, 다시 말해 석탄 채굴이 한창일 때 영국은 그 이전보다 나무를 더 많이 베었답니다. 나중에는 산림 자원이 바닥나자, 프랑스와 벨기에에서 탄광 지지대용 나무를 대량 수입했어요. 거대한 전나무들을 주로 사용했답니다. 하기야 지금 아프리카에서는 음식을 만들 때 숯을 많이 사용하는데 총인구가 14억이니까 그것도 지구온난화에 한몫할 겁니다. 그런 와중에 자동차 수는 기하급수적으로 늘어나고 있고요.

- 그런데도 모든 나라는 녹색 성장을 부르짖잖아요. 무엇이 문제인지 요약한다면요….

- 금속 고갈입니다. 대부분의 전기 자동차에 사용되는 리튬이온 배터리는 리튬 외에도 흑연, 코발트, 티타늄, 실리콘 및 나이오븀 등, 열 가지 이상의 금속을 사용합니다. 앞으로는 망간과 니켈이 양극 금속으로 사용될 수 있지만 이 모든 금속은 수요가 증가할수록 공급이 어려워질 것이고, 그럴수록 석유와 금속 사용, 경제적 비용이 증가할 겁니다. 2040년까지 리튬 수요는 지금의 42배, 코발트와 니켈 수요는 21배와 19배 늘어날 겁니다.

- … (한숨).

- 요즘 나오는 전기차를 보세요. 무게가 2.5톤이 넘는 고급 차들입니다. 아무리 전기 모터로 달릴지라도 타

이어와 내장재는 무엇으로, 또 어떻게 만드나요? 거대한 폐배터리는 어떻게 처리해야 할까요? 그리고 특히 부자 나라에서 버리는 내연기관 자동차들은 아프리카로 수출될 텐데 거기도 지구잖아요. 아프리카인들에게 5만 달러짜리 전기차를 사라고, 그게 안 되면 낙타나 당나귀를 다시 타라고 할 수는 없잖아요.

- 하하하. 그렇다면 방법이 없다는 말인가요?
- 이상적으로 말하면 있습니다. 그것은 절제 또는 저성장 사회 구현입니다. 이제 경제성장이라는 이데올로기는 버려야 합니다. 참, 이 점도 짚어 봐야 합니다. 국내총생산은 1년간 한 나라에서 새롭게 생산된 최종 생산물 및 서비스 시장 가치의 합이며 화폐로 표현되잖아요. 이 기준에 따르면 올해 생산된 자동차 판매는 포함되지만, 작년 재고 차량 판매는 포함되지 않습니다. 또한 그 나라에서 만든 것만 포함되며 본사가 한국에 있어도 다른 나라 공장에서 생산되는 물건은 제외됩니다. 어쨌든 새 제품 판매만 집계하는데 중고 시장에서 거래되는 물건의 가격은 포함되지 않는 것이죠. 그리고 최종 생산물만 포함하는데 이것은 자동차의 부품 가격이 모두 합쳐진 완성품 가격만을 고려한다는 말입니다. 결국 한 나라에서 1년 동안 만들어서 팔린 새 물건의 총가격을 의미합니다. 이 방법이 한 나라의 경제 규모를 정확하게 나타낼까요? 예를 들어

재난이나 전염병이 발생하면 그것을 극복하기 위해 장비와 인력을 동원해야 하잖아요. 이럴 때는 국내총생산이 늘어나지만 잘살게 되는 것은 아닙니다. 국내총생산은 마치 국민 삶의 질적 수준을 가리키는 것으로 풀이됩니다. 대기업만 돈 벌고 소상인들이 망해도 국내총생산은 늘어날 수 있는데 말이죠. 빈부격차와 무관한 계산법입니다. 어떤 사람이 차를 고치기 위해 정비소에 가서 10만 원을 지불하면 국내총생산에 그 액수가 잡히고, 5천 원짜리 부품을 손수 바꾸면 그냥 5천 원만 합산된다는 말입니다. 교통체증 때문에 연료를 많이 소비해도 국민총생산을 올릴 수 있어요. 마찬가지로 음식을 배달해 먹으면 국내총생산에 들어가는데 집에서 요리하면 재료비만 포함되고요.

- 잠깐만요, 제가 자료 하나 찾아볼게요. 2018년에 통계청이 가사노동의 가치를 계산해 본 결과 그 가치가 360조 원이며 이는 그해 한국 GDP의 1/4에 해당하네요.

- 엄청나네요. 어쨌든 카풀을 포함한 물건 나눠 쓰기와 봉사 활동 및 기부금도 포함되지 않아요. 심지어는 대기 오염 때문에 발생하는 이런저런 질환은 의료서비스 및 약품 소비를 증가시켜 오히려 국민총생산을 올릴 수 있고요. 결국 국민총생산을 올리려고 온갖 애를 써야 한다면 각 나라의 국민은 매년 그 나라에서만

생산되는 새 물건을 무조건 많이 소비해야 하는 것입니다. 한마디로 국민총생산은 자원파괴를 의미한다는 말이 됩니다. 환경보호, 복지, 행복 지수와는 전혀 관계가 없고요. 이런 계산법을 가지고 성장률을 따지는데 사람들은 그것이 오르면 기뻐하고 내리면 걱정합니다. 더 나아가 세계 여러 나라를 비교하고 순위를 매기기도 하죠.

- …….
- 어차피 지구의 자원은 제한되어 있습니다. 우리는 수백만 년이 걸려 생성된 화석연료를 150년 사이에 다 쓰고 있습니다. 우리 연구소의 목적 중 하나가 바로 절제의 필요성을 피력하는 데 있습니다. 지금은 이상에 불과하다고 말할 수 있지만, 정말 다른 방도가 없으면 사람들의 생각도 달라질 수 있을 겁니다.
- 어느 정도의 절제를 각오해야 하는지요.
- 그건 점차적이지만 혁명적인 각오와 아주 거대한 사회 시스템 전환을 동시에 필요로 합니다. 지구가 직면하고 있는 얽히고설킨 위험 요소 중, 하나가 틀어져도 총체적인 문제로 번지는 이른바 패닉 상태를 막아야 하기 때문입니다. 패닉은 아주 위험한 사태까지 일으킬 수 있습니다. 우리 연구소의 활동 목적 중 하나는, 공황 상태가 발생할 수 있다는 점을 널리 알리는 겁니다. 겁을 주려는 게 아니라 그래야만 걷잡을 수없는

사태를 피할 수 있기 때문입니다.

- 그렇군요….

- 궁극적으로는 서유럽 국가의 GDP를 4000달러로 줄이고, 새로 나온 전기차의 생산 기준을 2인승에 무게 600kg 그리고 최고속도 40km/h로 제한하는 식의 정책을 만들어야 합니다. 5G도 버려야 합니다. 육류 소비도 최대한으로 줄이고 여행도 자제해야 할 겁니다. 각 나라의 주요 기업을 국영화해야 할 겁니다. 물론 플라스틱 사용도 금지하고 5km 미만의 거리는 걸어서 이동하고 고물 자전거를 죄다 고쳐 재분배하는 식이죠.

- 어떤 이들은 공산주의 혁명보다 더 혁명적이라고 하겠네요.

- 이런 모든 변화를 한꺼번에 생각하면 그렇게 보일 수 있지만, 이건 지구를 살리는 문제입니다. 앞으로 아무 대책을 세우지 않으면 그냥 좀비 세상이 될 겁니다. 몇 년 전에 좀비 영화가 유행한 게 우연이 아닐 수 있어요. 헐헐헐.

- 여태껏 유럽은 모든 걸 누리고 잘 산 다음, 이제 절제를 내세우면 억울해하는 나라도 많을 거 같은데요….

- 동의합니다. 유럽은 식민지를 이용해서 부를 축적했습니다. 유럽부터 반성해야 합니다.

- 어떻게요?

- 돌려주는 수밖에요…. 그리고 이건 제 개인적인 견해입니다.

- 네. 하지만 그런 생각이 사회적 동의를 얻을 수 있을까요?

- 달리 방법이 없다면 불가능하지도 않을 겁니다. 방법도 찾아야 하고요. 웬만한 프랑스인의 옷장은 3년간 옷을 사지 않아도 될 만큼 가득 차 있어요. 한국도 비슷하죠?

- 아마도 더 많을 겁니다. 하하하. 하지만 소비에 중독된 이들이 이런 문제를 이해하고 이토록 큰 변화에 동참하려 할까요? 전 불가능하다고 봅니다.

- 쉽지 않을 겁니다.

- 혹시 중국이나 한국에 와 봤나요?

- 아직요.

- 그냥 소비하고 버리고 또 사고…, 그게 자랑스럽고 모두 행복하답니다. 여기는 돈이 신입니다.

- …. 이제 저에게 인터뷰를 요청한 이유를 알겠네요.

- 그런데 지금이 20세기 초라면, 막 에펠탑이 세워졌을 때라면 프랑스에서 지금 이런 말이 먹혔을까요?

- 맞네요. 안 먹혔을 겁니다.

- 그냥 좀비로 사는 것이 좋다는 사람도 있을 거 같은데요.

- …… 하하하.
- 오늘 시간 내주셔서 고맙습니다. 유익한 얘기 잘 들었습니다. 파리는 지금 이른 시간일 텐데 좋은 하루 되시기 바랍니다. 정말 감사합니다.
- 오늘 나눈 얘기를 많은 독자가 읽었으면 좋겠습니다.
- 네. 오늘 정말 고맙습니다.

인터뷰 #3

나는 소비한다.

- 안녕하세요, 오늘은 소비의 문제를 진단하는 시간을 갖기로 하는데 이렇게 인터뷰에 응해주신 것에 진심으로 감사드립니다. 선생님을 뵙기 위해 부산까지 오니까 초여름의 바닷바람이 저를 맞이하는 게 기분도 너무 좋아집니다. 거의 10년 만에 다시 뵙네요.
- 네 반갑습니다. 지난주에 연락받고 저도 기뻤습니다. 그래서 나름 준비도 했습니다.
- 그러면 인터뷰의 방침과 선생님을 소개하는 것으로 시작하겠습니다.
- 네.
- 말씀하실 때는 편하게 하시기 바랍니다. 욕을 하셔도 되고 속어를 쓰셔도 됩니다. 선생님은 2000년대 초 한국에서는 처음으로 제로웨이스트 운동을 시작하셨고 한동안 운영하신 블로그는 웬만한 대학 연구소를 능

가하는 자료로 넘쳐났습니다. 전공은 경제학이고 지역 대학에서 출강하셨고 시민 단체에서 강연도 많이 하셨는데 요즘 뜸하신 이유가 궁금합니다.

- 이제는 비슷한 운동이 조금 일어나는 거 같아서 블로그 운영을 안 합니다. 게다가 다들 유튜브 채널을 운영하는데 저에게는 안 맞고요…. 그 사이에 라오스로 생활 터전을 옮겼습니다.

- 라오스에 사시는 이유는요?

- 여기는 이미 소비에 중독된 사회이지만 거기는 아직 시작 단계라서 희망이 있어서요…. 그지없이 평화롭기도 하고요.

- 라오스 팍세에 사신다고요?

- 네. 다음 달에 돌아갑니다.

- 네…, 우선 소비에 대한 전반적인 소개부터 부탁드립니다.

- 네. … 우리가 숨을 쉬고 말을 하듯이, 사람들은 별생각 없이 소비하고 있습니다. 그렇지만 오늘날 우리가 경험하고 있는 소비 문화는 자본주의의 산물입니다. 만들어진 거죠.

- 만들어진 거라고요….

- 네. 18세기 말부터 유럽의 국가들은 대량 생산 체제로 돌입하면서 도시는 교통, 생산, 거주의 중심지로 떠올랐습니다. 비록 노동 조건은 지금과 비교가 안 될

정도로 열악했지만요…, 그래도 농촌 생활과는 달리, 근로 시간 이외의 시간은 노동과 무관한 시간, 즉 개인의 시간으로 활용할 수 있게 됩니다. 또한 공동 주택이 보급되면서 그것을 채워야 하는 소비가 생겨났고, 날로 발달하는 교통 체계 덕분에 다른 지역의 상품을 손쉽게 구매할 수 있게 됩니다. 하지만 이런 소비는 결국 지배 계층에게 잉여 가치를 창출해 주는 순환 시장을 열어 줍니다. 다시 말해 노동자는 생산력을 팔아야 할 뿐만 아니라, 다른 노동자가 만든 물건을 사야 하는 순환이 시작된 거죠. 이때부터 부르주아들은 이중 내지는 삼중의 이득을 올릴 수 있게 됩니다. 많이 소비해야 많이 생산하고 그만큼 부를 창출한다는 걸 알게 되는데 광고가 등장하면서는 공급이 수요를 창출하기 시작합니다. 급기야 1980년대부터는 세계화를 앞세워 전 세계인을 대상으로 그런 시장을 넓혔고요. 이렇게 공급이 수요를 만들게 되면서 사회적 경쟁은 소비의 경쟁으로 바뀝니다.

- 드디어 〈나는 소비한다, 고로 존재한다〉는 시대가 열린 거네요. 그러면 한국의 소비 문화는 어떤 특징을 갖는지 묻고 싶습니다.

- 그전에…, 보드리야르라는 사람은 〈소비사회는 대중을 노동력으로 사회화한 다음, 소비 계층으로서의 대중을 완전히 흡수했을 때 비로소 완성된다〉고 말한 적 있

습니다. 소비하든 말든 선택이 있었던 시대는 끝나고, 주로 제2차 세계대전 이전을 말합니다만…, 이 체제에서 사는 이상, 소비는 필수가 되었다는 말입니다. 그리고 한발 더 나아가 이제는 빚내어 소비하는 시대가 된 거죠.

- 빚내어 소비하는 시대….

- 서유럽의 자본주의가 이렇게 소비자를 길들였다면 한국의 상황은 다릅니다. 우선 산업화의 인프라 건설을 보면 철도와 같은 한국의 주요 교통망 중 하나는 경제적 수요에 따른 것이 아니라 러일 전쟁을 위해 일본인들이 건설했고, 근대적인 생산 체제도 같은 시기에 가동하지만, 그것 역시 국내 자본과 내수의 증가에 따른 결과가 아니라 일본의 경제 팽창주의의 수단에 불과했습니다. 이렇게 강요된 〈신식 문화〉는 온 국민에게 소비의 욕구를 불어넣습니다. 너무 급격하게요. 예를 들자면 1910년대부터 제작되는 신식 가요들이, 이미 바뀌기 시작한 한국인의 의상과 노래와 유희의 공간, 음식과 술의 소비 패턴을 완전히 바꾸어 놓았고, 그것은 또한 꽤 큰 규모의 시장이었죠. 1927년에 전파를 타는 최초의 라디오 광고는 더욱 광범위하게 소비 문화를 정착시킵니다. 광고도 이 무렵 등장하죠.

- 외세에 의해 너무 빠르게 소비사회로 접어들었다는 말씀이네요.

- 네. 그런데 해방 직후 발생한 한국 전쟁은 국토를 폐허로 만들어 버렸고 한국은 무엇보다 국토를 재건해야 했잖아요. 이런 과정에서 가장 시급한 문제는 자본의 확보였고 그 결과 토지 자본은 매우 빠르게 경제 자본으로 바뀌기 시작합니다. 땅은 농사용에서 투자 또는 투기용을 바뀝니다. 당연히 일제강점기부터 맥을 유지해 온 구 권력층과 토지 자본을 금융 자본으로 재빨리 바꾸어 경제 권력을 확보한 신권력층은 〈잘살아 보세〉라는 슬로건 아래 전국 규모의 저축 운동을 강요합니다. 저축은 모든 국민의 의무이자 미덕으로 승화되어 외딴섬에 사는 아이들도 돼지저금통을 갖게 되었습니다. 이런 프로파간다는 민족주의에 호소하는 자본주의적 건국을 이룩하려는 의지의 표명입니다. 그때까지 문화 소비는 죄악으로 치부될 수밖에 없었죠. 그 결과 한국 소비 문화의 정착 과정은 경제성장과 비례하지 않는 양상을 보이기 시작합니다. 구체적으로 말하자면 70년대 초까지 한국인의 소비는 경제학자들이 말하는 필수 소비에 그친 셈인데 1988년 서울 올림픽을 계기로 모든 게 바뀝니다. 경제도 성장했고 특히 그것을 외부에 알려야 했습니다. 〈가장 한국적인 게 세계적이다〉는 구호도 그때 만들어지잖아요. 그때부터 내수가 폭발하고 과시용 소비가 자리 잡습니다.
- 조금 늦게 내수 규모가 커지는 게 그렇게 문제가 되

나요?

- 서양에서 200년간 진화한 소비사회가 한국에서는 50
년밖에 안 걸린 거죠. 그래서 온 국민이 행복하다면
할 말이 없지만, 돌이켜 보면 경제성장이 문화 자본을
키우면서 조금 더 균형 있게 발전했으면 어땠을까 합
니다.

- 선생님께서는 지금 한국 소비 문화가 균형을 찾지 못
했다고 보시나요? 그냥 개발도상국 내지는 신흥부국의
특징에 그치는 건 아닐까요?

- 그럴 수도 있습니다. 어쨌든 해외여행은 그냥 놀러
가는 게 됐고, 돈도 많이 쓰는 거 같아요. 명품에 환
장하고 유행도 너무 획일적이고…. 외형적 소비만 있
다는 말이죠.

- 그러네요. 언젠가 독일 친구가 말하기를 한국처럼 차
들이 다 크고 새것인 나라를 못 봤답니다. 유명 업체
옷밖에 안 보이고 핸드폰도 다 최신형이라고 하더군
요…. 한 번은 김해공항에서 어딜 가는데 꽤 많은 사
람이 인터넷으로 구매한 면세품을 잔뜩 들고 출국하
는 걸 봤습니다. 여행 내내 그걸 들고 다닐 텐데 말이
죠…. 무슨 쇼핑을 위해 여행 가는 사람들 같았습니
다. 그러면 선생님은 지금의 소비 문화를 어떻게 진단
하시나요?

- 무엇보다 소비의 편승 효과에 너무 치우쳐 있습니다.

밴드웨건 효과라고 부르기도 하죠. 편승 효과는 무조
건 타인의 소비 성향을 쫓아가는 소비 행태를 가리키
는데 더 정확히 말하자면 이러한 소비 행태를 통해
소비자는 제품 용도를 고려하는 게 아니라 대세를 따
라잡기에 급급한 거죠. 즉 같은 가격이라면 다른 사람
들이 많이 사는 제품을 소비하려 하는데 여기서도 제
품의 기능이 그것의 외형적 의미에 자리를 양보하는
꼴이죠.

- 저도 무슨 가게에서 〈요즘은 이게 잘 나갑니다〉는 말
을 들은 거 같네요. 그런데 현대의 소비사회에서 편승
효과는 거의 모든 나라에서 찾아볼 수 있는 현상 아
닌가요?

- 맞습니다. 미국의 경우 60년대는 청바지가, 그리고
70년대는 장발이 명백한 〈제너레이션 심벌〉이었으며
그것은 유럽은 물론이고 전 세계를 휩쓸기도 했잖아
요. 이런 현상도 편승 효과이지만 동시에 기성세대에
대한 반동의 의미를 갖기 때문에 조금 다릅니다. 청바
지 문화가 구별 짓고자 했던 건 다름 아닌 경제성장
에 도취 됐던 일종의 낙관주의적 세대의 문화이자 트
위스트 문화였거든요. 그런 문화의 의상은 상대적으로
건전한 것, 즉 양복바지에 흰색 셔츠, 그리고 반짝이
는 구두였습니다. 이런 의상은 기성세대가 이룩한 물
리적 풍요로움을 만끽하려는 이데올로기의 산물이었고

요…. 당시 미국의 청년 문화는 기성세대가 잘 가꾼 온실에 불과했습니다. 그러나 60년대 후반 미국에서는 베이비붐 세대가 거대한 정치·문화 집단으로 등장합니다. 그들은 반전주의, 평화주의 운동, 자연주의 등의 이데올로기적 운동을 주도했으며 청바지는 이 모든 것의 상징이었죠. 따라서 〈청바지〉는 일종의 이념적 편승 효과라고 봐야겠죠.

- ….

- 이에 반해 어떤 탤런트나 가수의 의상과 헤어스타일을 모방하는 건 문화·사회·정치적 이데올로기의 상징이 아니죠. 이런 편승 효과는 바로 그런 이념적 공백이 만들어 낸, 다시 말해 비교적 높은 소득 수준에 비해 아직은 빈곤한 문화 의식이 만들어 낸 이른바 외형적 소비에 불과합니다. 경제적 여유와 여가도 주어졌는데 그것을 활용할 만한 문화 활동이 부재할 때, 영화에도 별로 흥미가 없고 음악이나 연극, 미술을 비롯하여 여행, 독서, 사진 등의 취미 생활을 생각조차 하지 못하는 상황에서, 다시 말해 문화 자본이라고는 아무것도 없고 자신의 인생을 설계한다는 개념도 없는 상황에서 오로지 돈이 사회적 지휘를 결정한다면 당연히 소비는 과시성을 지향할 수밖에 없겠죠.

- 오늘 너무 점잖게 말씀하시는 건 아닌지요?

- 술 한잔하면서 이야기를 나눴으면 더 편하게 이야기

했겠죠. 하하하. 그다음 따져볼 것이 〈베블런 효과〉입니다. 오래전 기사가 생각나는데 어느 백화점에서 세일하는 옷의 가격표를 2만 원이 아닌 20만 원으로 잘못 표기했는데 오히려 불티나게 팔린 일이 있었답니다. 요즘은 핸드폰으로 가격을 비교할 수 있어서 이런 웃기지도 않은 일이 일어날 수 없겠지만요…. 어쨌든 이런 현상을 설명한 사람이 노르웨이 출신의 미국 경제학자 베블런인데 그의 이름을 갖게 된 이런 소비심리는 〈유한계급이 정상적인 소비를 넘어서 자신의 계급이나 성취를 남에게 나타내려는 소비 행위〉를 가리킵니다. 쉽게 말하면, 이러한 과시성 소비는 물건의 값이 비쌀수록 더 잘 팔리는 현상, 즉 수요의 법칙과는 모순되는 소비 행동을 유발합니다. 대신, 가격을 내리면 물건의 질이 떨어진 것으로 판단되어 오히려 안 팔립니다. 신기하죠?

- 이런 소비 패턴이 생기는 이유는 무얼까요?
- 무지도 한몫합니다. 자동차를 모르면 비싼 차가 무조건 좋다고 생각하는 식이죠.
- 하기야 언젠가는 어떤 아주머니가 BMW M3를 운전하면서 마트에서 나오는 걸 본 적이 있어요. 500마력의 차를요…
- 하하하. 아들 차를 빌려 탔겠죠. 하하하.
- 그렇겠죠. 다른 이유가 있다면요?

- 아무래도 매스컴의 영향도 크겠죠. 한국에서 텔레비전은 신을 대신하는 위치에 서게 되었잖아요. 더욱이 정치적인 불신 또는 무관심, 정신적 지도자의 부재는 연예인들을 더 없는 스타로 만들었어요. 요즘은 인터넷이 그 자리를 대신하지만, 원리는 같습니다. 사람들은, 그중에도 소비 욕구가 왕성한 이들은 거기서 섹스 심벌, 현모양처, 마마보이, 터프가이 등의 모델을 찾아냅니다. 그 결과 소비는 획일화되고, 그러다 보니 자신에게 어울리지도 않는 의상도 입고 다니게 되는 거죠. 등산복, 자전거 의상, 공항 패션, 츄리닝 패션, 심어지는 먹는 것까지요…. 생각해 보니 BMW 아줌마와 별 차이 없네요. 하하하. 어쨌든 텔레비전은 사람들을 바보로 만들고 싶어 하는데, 아주 순조롭게 진행되고 있습니다.
- 게다가 획일화된 소비는 결국 제조업자에게 매우 편한 시장을 만들어 주겠네요.
- 당연하죠. 그들이 텔레비전 프로그램 제작비를 대고 있잖아요. 만약에 모든 남녀가 결혼해서 정확히 1년 후에 첫 아이를 낳고 2년 후에 둘째를 낳는다면, 그리고 딱 3년 만에 차를 바꾼다면 기저귀 회사, 자동차 제조업체들은 재고를 고민할 필요가 없어 참 좋아할 겁니다.
- 그렇게 말씀하시니까 섬뜩하네요.

- 난 예전에 읽었던 대중의 정의가 생각납니다. 대중은 〈하나의 자극에 똑같이 반응하는 불특정 다수〉라는 정의요.

- …

- 어쨌든 소비의 편승 효과와 소비의 베블런 효과의 혼합은 과시적 소비로 나타납니다. 바꾸어 말하면 무형의 소비는 설 땅을 못 갖는 거죠. 이런 현상은 일상에서도 확인되는데 예를 들어 밖에서는 고급 브랜드를 뽐내는 사람의 집구석에는 책 한 권 없죠. 어쩌다가 루브르 박물관에 가면 모나리자 앞에서 사진만 찍고 오죠. 손가락으로 V자만 안 만들어도 다행이죠. 그런 사람들은 다빈치가 사생아였으며 동성애 성향을 다소 지녔었다든지 또는 채식주의자였다는 사실을 모릅니다. 조금 다른 얘긴데 원래 무지는 무지임을 모르잖아요. 그래서 무지로 오래 사는 거고요. 하하하.

- 그러면 텔레비전이 아주 계획적으로 대중을 바보로 만들고 있다고 보시나요.

- 글쎄요…. 아주 계획적이지는 않겠지만 프로그램을 제작하기 위해서는 협찬을 받아야 하는데 협찬하는 측에서는 시청률이 높은 프로그램을 선호하겠죠. 그런데 시청률을 높이기 위해 방송국은 가장 대중적이고 자극적이거나 웃긴 콘텐츠를 개발하겠고요. 이 둘의 상호작용이 점점 프로그램의 질을 떨어뜨리는 거 같습

니다. 그 결과 뚱뚱한 연예인들이 나와서 많이 먹기 대회를 한다든지, 무슨 교실 같은 데서 바보처럼 노는 걸 만들잖아요. 거기에 애국주의적 양념을 더 하기도 하는데, 외국 가서 버스킷 공연이나 식당을 운영하는 프로그램도 만들기도 하더라고요. 버스킷에 대해 한마디 하자면 그것은 가난한 길거리 뮤지션에게 던져주는 동전함을 가리키거든요. 그런데 국내 유명 가수 서너 명과 스탭 열대 명이 비행기 타고 유럽까지 가서 노래하는 것도 버스킷 공연이라고 부르는데 그건 대중을 무시하는 꼴이죠. 대중은 그런 프로그램을 보고 한국 음악 내지는 한국인의 위대함을 느끼겠지만 이런 경우는 거의 계획적인 바보 만들기입니다.

- 네. 인터넷 영향은 어떨까요.

- 전철을 타면 모든 사람이 핸드폰에 코를 박고 있잖아요. 사람들이 무엇을 보는지는 정확히 알 수 없지만, 인터넷 중독은 이제 텔레비전의 그것을 능가한 게 분명해 보입니다. 하지만 모든 사이트를 운영하는 데 협찬이 있는 건 자명하고요. 그렇다면 광고에 노출되는 강도는 마찬가지죠. 한국에서 유튜브 동영상을 보려면 광고 두 편을 봐야 하잖아요. 정말 지독하게 광고하잖아요. PC에서는 뒤로 갔다가 다시 오면 광고를 피할 수 있지만 핸드폰에서는 안 되는 걸로 알고 있어요. 라오스 살면서 좋은 건 유튜브 광고가 없다는 점입니

다. 그것도 시간문제겠지만요.

- 광고가 소비에 미치는 영향을 생태계 관점에 본다면 어떤 문제가 있을까요?

- 광고는 불필요한 소비를 자극하는데 아무 개념 없는 소비는 환경에 치명적입니다. 그 때문에 쓰레기 줄이기 운동을 시작했었고요. 아보카도가 몸에 좋다고 온 국민이 먹기 시작하면 멕시코 농장 주변은 지하수가 다 말라서 황폐해지고, 그런 농산물을 싣고 대양을 건너는 화물선은 엄청난 양의 이산화탄소와 메탄을 뿜어냅니다. 선박의 연료는 벙커C유잖아요. 그것이 얼마나 질 나쁜 연료인지 잘 아시겠지만요. 이런 모든 화물과 상품을 포장하는 각종 플라스틱은 다시 대양 어딘가에 큰 섬을 이룰 뿐만 아니라, 나중에는 분해되어 우리 몸에 침투합니다. 그런데 아보카도만 문제겠습니까. 마트에서 값싸다고 무심코 사는 티셔츠 면은 인도에서 생산되고 베트남으로 옮겨져 가공된 다음 다시 방글라데시로 가서 제조된 다음 다시 배를 타고 전 세계로 팔리잖아요. 리튬은 칠레에서, 코발트는 콩고에서, 심지어 고등어는 노르웨이에서 오잖아요.

- 세계화는 환경 재앙이네요.

- 재앙 중 재앙입니다. 며칠 전에 한국 뉴스를 보게 되었는데 네덜란드의 오션클린업이라는 비영리 환경 단체가 북태평양에 떠다니는 플라스틱 쓰레기 100톤을

회수해서 그 근원지를 분석해 보니 한국이 3위였다고 합니다. 1위는 중국이고 2위가 일본이었는데 인구를 따지면 순위가 바뀔 겁니다.

- 그렇군요. 누군가 자본주의는 창조적 파괴라고 했는데 그 말은 기존 상품을 얼마 안 쓰고 버려야만, 다시 말해 쓰레기를 만들어야 존속된다는 의미로 풀이되네요.

- 네, 맞습니다. 예전에 어딜 여행할 때 나는 그 나라의 쓰레기통을 열어 보곤 했어요. 천차만별입니다. 오랜 미국 시애틀에 잠시 있었는데 거기서는 쓰레기 분리 수거도 없었는데 그냥 전자제품과 음식물 쓰레기를 마구 섞어 버리더라고요. 그래서 쓰레기 경제학이라는 말도 있는 거죠. 음식 쓰레기도 큰 문제입니다. 부자 나라의 소비자들은 자신들이 먹는 음식의 양보다 더 많은 음식물을 쓰레기로 버리고 있잖아요. 이들이 버리는 음식물 쓰레기가 연간 약 2억 2,200만 톤이라고 하는데 그것은 아프리카 사하라 남부지역의 식량 생산량인 2억 3,000만 톤과 거의 같습니다.

- 저는 점점 죄인이 되어가는 느낌입니다.

- 개인의 노력도 필요하겠지만, 시스템의 문제입니다.

- 네.

- ······.

- 지금까지는 한국의 소비 문화를 얘기했는데, 다른 소비 패턴이 있다면 무엇이 있을까요?

- 글쎄요…. 말하자면 스노브 효과라고 불리는 소비의 유형도 있습니다. 이를테면 〈자기만이 소유하는 물건에 특별한 가치를 부여하는 소비의 또 다른 행태〉입니다. 이런 소비 행태는 남들이 사용하지 않는 물건 내지는 희소성이 있는 재화를 소유하고자 하는 욕구에 기반하는데 어떤 상품이 대중적으로 유행하면 그 소비를 줄이거나 외면하는 행위를 동반하기도 합니다. 이런 소비 행태는 선진국에서 볼 수 있는데 과시적 소비와 명확하게 대립하는 양상을 보이죠.
- 그러면 앞서 언급한 소비의 편승 효과 및 베블런 효과와는 달리 스노브 효과는 비과시적 소비 유형에 해당한다고 할 수 있겠네요.
- 네.
- 못 살 때는 유행을 따른다는 것이 일반 대중과의 차별을 명백하게 할 수 있는 수단이자 부를 과시할 수 있는 행위였잖아요. 그러나 오늘날과 같이 대량 생산의 시대에서는 유행을 맹목적으로 따르는 것은 오히려 가장 대중적이고 흔해 빠진 행위로 해석됩니다. 더 나아가 지구환경이 위협받는 지금, 무분별한 소비를 과시하는 자는 아주 한심하게 보이죠. 어쨌든 스노브 효과는 기본적으로 반대중적인 소비 행위를 지향하는데 그렇다고 해서 소비의 지출이 줄어드는 것은 아닙니다. 오히려 지출액은 증가할 수도 있지만, 이런 소

비는 마니아의 속성을 갖습니다. 이런 소비는 과시적인 것이 아니라 남의 눈에 띄지 않는 태도와 검소함, 겸손함으로 자신을 나타내는 방법이기도 합니다.

- 좀 더 구체적으로 설명해 주시면 고맙겠습니다.

- 음…, 어느 정도의 수입이 있는 사람이 일부러 낡은 옷을 입는다든지 고급 승용차 대신 자전거를 타고 다니는 행위를 생각할 수 있어요. 이런 소비 문화는 규범화된 소비 패턴에 대한 반동입니다. 외형적인 모든 것은 매우 소박한 데 반해 특정 분야에서는 막대한 투자를 하는 사람들이 있고요. 예를 들어 자전거나 스쿠터 한 대가 유일한 교통수단인 사람의 작은 아파트는 초고급 오디오 시스템이나 희귀 음반, 또는 희귀 도서로 가득 차 있을 수도 있죠. 이런 소비는 매우 특성화된 소비인데 실제로 이런 현상은 서유럽에서 종종 볼 수 있습니다.

- 이런 소비 문화만 있다면 쓰레기양은 대폭 줄겠네요.

- 그럼요. 그 대신 기업들을 싫어하겠죠.

- 한국의 경우, 초기의 양반들이나 부르주아들이 토지 자본이나 금융 자본 말고도 나름의 문화 자본을 개발하고 전수했다면 상황은 어떠했을까요?

- 결과는 매우 달랐겠죠. 만약 일본 강점기가 없었다면 자체적인 엘리트적인 문화가 탄생했을 수도 있고 그럼으로써 예술 분야에서는 전통과 진보가 충돌하고

상호 작용하는 문화적 흐름이 생겨났을 수도 있었겠죠…. 하지만 몇 년 전부터는 새로운 걱정거리가 생겼습니다….

- 어떤 걱정이나요?

- 뉴로 마케팅의 등장입니다.

- 아, 저도 그 용어를 몇 번 들었습니다. 그것도 간단히 설명해 주시면 고맙겠습니다.

- 음…. 2000년대부터 뉴로 마케팅이라는 연구 분야가 생겨났는데 그건 뉴런 사이언스와 마케팅의 합성어입니다. 인간의 무의식을 파고들어서 마케팅 전략을 세우는 방법이라고 할 수 있습니다. 부연 설명을 하자면, 인간은 세 개의 뇌를 가지고 있는데 각 뇌는 형성된 시기가 다릅니다. 가장 오래된 뇌가 파충류의 뇌고 그다음이 포유류 뇌, 가장 최근에 생긴 게 대뇌입니다. 파충류 뇌(소뇌)는 5억 년 전에 생겨났고 생존 본능과 관련이 있는데, 직접적인 자극에 매우 빠르게 반응합니다. 포유류 뇌(?)는 6천만 년 전에 생겨났고 기본 감정을 느끼게 하는 기관이고요. 사람들이 그냥 뇌라고 생각하는 게 세 번째 뇌인데 정확히 말하면 대뇌 피질입니다. 이것이 언어, 사고, 논리, 이성을 담당합니다.

- 네.

- 우리가 어떤 물건을 살까 말까 갈등할 때가 바로

대뇌와 나머지 두 뇌가 충돌을 일으킬 때라고 하네요. 그리고 블라인드 테스트를 하면 코카콜라보다 펩시콜라가 더 맛있다는 반응이 많지만, 막상 콜라를 고를 때는 코카콜라에 손이 가는 이유도 우리의 포유류 뇌가 빨간색 로고에 이미 호감을 느끼기 때문입니다. 더 나아가 상표를 알고 콜라를 마시면 코카콜라가 더 맛있다는 반응이 나온답니다.

- 그렇군요. 파블로프의 실험이 생각나네요.

- 하하하. 그래서 아주 간단히 말하면, 뉴로 마케팅은 MRI를 이용해서 사람의 뇌, 그중에서도 파충류 뇌와 포유류 뇌가 어떻게 반응하는지를 파악한 다음 상품 디자인을 결정하는 기술입니다. 기아 자동차의 K시리즈에서 K가 그렇게 해서 결정된 거라고 하더군요.

- 결국 우리가 생각해서 어떤 상품을 선호하는 게 아니라는 말이네요.

- 바로 그겁니다. 사람에 따라서는 좀 더 이성적으로 소비하려는 사람도 있겠지만, 저는 뉴로 마케팅이 더욱 널리 활용될까 봐 걱정입니다.

- 그러네요. 무서운 세상이네요.

- 다행히 몇몇 나라에서는 뉴로 마케팅을 금지하고 있습니다.

- 이제 물건을 구매할 때 좀 더 냉철하게 고민해야겠

네요.

- 아니면 라오스 시골로 이사 가시던지요. 하하하.

- 하하하. 마지막 질문을 드려 볼까 하는데요. 선생님이 생각하시는 엘리트는 무엇이죠?

- 준비 안 한 질문이네요. 하하하.

- …

- …, 우선 엘리트와 엘리트주의를 구분하면 어떨까 합니다. 엘리트주의는 오만함의 색채로 물들어 있는 단어인데 어쩌면 엘리트가 되고자 하는 의지가 일반 대중과의 차별을 노골화하는 몸부림으로 나타나기 때문일 겁니다. 그래서 저는 〈진정한 엘리트〉라는 말을 더 좋아합니다. 이 경우, 엘리트는 객관성, 보편적 사고, 인류애를 가질 뿐만 아니라 지식은 무한하다는 것을 알기 때문에 겸손한 사람이겠죠. 앎에는 이성적이지만 삶에는 열성적인 사람이라고 할까요? 내 말이 정확한지 모르겠네요. 하하하.

- 엘리트주의와 진정한 엘리트의 구분이 흥미롭네요.

- 조금 보완하자면 엘리트를 지향하지만, 엘리트주의에 빠지지 않는 게 중요할 듯합니다.

- 좋은 말씀입니다. 마지막 질문까지 드렸으니 인터뷰를 마치도록 하겠습니다. 정말 감사합니다. 욕이 나올만한 내용도 있었는데 너무 점잖게 말씀하시느라고 고생하셨습니다.

- 하하하. 꽉세에서 사니까 마음이 편해져서 그럴 겁니
  다.
- 네?
- 진심입니다. 하하하.
- 다시 한번 감사드리고 이제 녹음기를 끄겠습니다.
- 네, 수고했습니다.
- 네, 감사합니다.

인터뷰 #4

미의 방황

- 안녕하세요. 인터뷰에 응해주신 것에 다시 한번 감사
  드립니다. 지금 외국에 계신 관계로 화상 통화로 인터
  뷰하게 되었습니다. 선생님은 볼로냐 대학에서 미학을
  가르치고 계신데 지금 거기 날씨는 어떤가요?

- 안녕하세요. 여기도 제법 춥네요. 그래서 크리스마스
  방학 때 팔레르모에 다녀올까 합니다.

- 네. 메일로 미리 말씀드렸듯이 오늘 인터뷰 주제는
  〈미의 방황〉입니다.

- 네. 첫 메일에서는 그냥 〈미〉를 제안하셨는데 너무
  어려운 철학적 문제가 될 거 같아서 주제를 조금 바
  꾸게 되었죠. 〈미의 방황〉은 풍속사 관점에 다룰 수
  있다는 장점이 있습니다.

- 네. 그러면 편한 마음으로, 마치 대화하듯이 말씀해
  주시면 고맙겠습니다.

- 네…. 우선…, 미 또는 아름다움은 인간의 욕망, 이데 올로기, 이해관계, 계층 등의 여러 관점에서 접근할 수 있는 추상적인 개념입니다. 기본적으로는 미의 철학 또는 미학에서 주로 다루어 왔지만, 역사, 사회학, 심리학에서도 다루는 개념이기도 합니다. 일반적으로 아름다움은 감각을 통해 쾌감이나 만족감을 제공하는 어떤 대상의 성질로 규명됩니다. 이런 의미에서 미는 형태, 시각적인 특징, 운동, 소리의 성질과 조합에서 나타납니다.
- 아름다움을 못 느끼는 사회는 없겠지만 그 기준은 시대에 따라 많이 바뀐 걸로 알고 있습니다.
- 네. 역사를 통해 우리는 미를 포함한 인간의 가치관이 얼마나 변해 왔으며, 지금의 기준들도 언젠가는 바뀔 것이라는 사실을 잘 알게 되었습니다. 유럽사를 보면 자연미를 찬양했던 르네상스가 있었다면 치장의 미에 잔뜩 취했던 17~18세기도 있었거든요. 지금은 어떤가요? 팝아트가 사람들의 눈을 즐겁게 하고 만화 주인공이 스타가 되는가 하면, 댄스뮤직이 전 세계의 텔레비전을 장악했습니다. 그런데도 거의 모든 사람은 인도양의 일몰을 보면서 유난히 아름답다고 느끼고 있습니다. 제법 많은 사람이 쇼팽의 〈녹턴〉을 좋아할 것이고요.
- 하지만 나훈아를 즐겨 듣는 사람이 〈녹턴〉을 듣자마

자 감동에 젖을 확률은 좀 낮지 않을까요?

- 아마도 그럴 겁니다. 모든 가치관과 마찬가지로 미는 역사성도 갖는 동시에 현재성도 갖기 때문이죠. 미의 기준은 계층별로 다르다는 말이죠. 또는 역사적으로 그 기준이 바뀌는 동시에, 같은 시대 안에서도 다양한 관점이 공존한다고 할 수 있습니다. 그러면 미의 기준이 어떻게 변해 왔는지 살펴볼까요?

- 네.

- 고대 그리스 초기에는 〈칼론〉이라는 개념이 있었습니다. 칼론은 감탄을 자아내고, 시선을 사로잡는 모든 것을 가리킵니다. 아름다움의 대상은 그 형식을 통해 눈과 귀를 충족시키는 것이었죠. 미는 그것을 표현하는 다양한 기법들과 연결되어 있었으나 단일한 규칙을 가지고 있지는 않았습니다. 조화, 균형, 운율이 여러 기준 중 대표적인 것으로 인식되었습니다.

- 네.

- 하지만 고대 그리스가 지중해를 지배하게 되면서 예술의 전반적인 흐름은 그리스인들의 주관대로 바뀝니다. 움베르토 에코가 말하듯이, 당시의 화가들은 아름다운 형식을 찾는 데 급급한 나머지 객관적인 정확성을 존중하지 않는 특유의 원근법을 창안합니다. 육체를 탐구하긴 했지만, 당시의 예술가들은 인간의 몸을 조각한 게 아니라 이상적인 몸을 조각했습니다.

- 고대 그리스 조각을 보고 당시의 사람이 그렇게 멋진 몸매를 가졌다고 생각하면 안 되는 거네요. 하하하. 이런 미학이 생기는 이유는 무엇일까요?

- 오만함은 자기만의 규범을 만들고자 하는 욕구를 불러일으키는 거 같아요. 어떤 문명이든 최고의 지배적 위치에 서게 되면 특유의 기준을 고수하면서 그것을 역사에 남기고자 하는 욕심을 갖는 거 같습니다. 어떤 권력자가 거대한 건축물을 남기는 것처럼요. 베르사유나 앙코르와트를 보면 알 수 있잖아요. 요즘 말 많은 〈네옴시티〉도 마찬가지고요. 사막 한복판에 높이 500m 길이 170km에 달하는 유리 도시를 짓는다는데, 더 이상의 과대망상이 어디 있는가 싶습니다.

- 하하하.

- 마찬가지로, 17세기 프랑스는 예술과 건축의 균형미를 추구했고 그것은 언어의 표준화 작업으로 이어졌는데 이런 운동과 미학은 국가 이데올로기를 강화하는 데 사용되었습니다. 제가 보기에는 20세기 미국의 패권주의를 노골적으로 드러내는 〈람보〉, 〈슈퍼맨〉, 〈인디펜던스 데이〉와 같은 할리우드 영화도 비슷한 발상에서 비롯됩니다. 어쨌든 고대 그리스인들에게는 그들만의 조화와 균형이 있었고 그것은 한 시대를 지배하는 기준이 되었습니다.

- 네. 그러면…, 중세의 예술은 빛과 색채와 명료성을

특징으로 하는데 그때는 무엇이 바뀌는 걸까요?

- 암흑기라는 말과는 어울리지 않게 중세의 작품들은 환한 빛으로 가득 차 있습니다. 다시 에코를 언급하자면, 이런 특징은 노랑, 빨강 혹은 파랑이 강렬한 대비를 이루는 모사라베 양식의 세밀화나 연자주, 진초록, 모래색이나 청백색 같은 차갑고 선명한 색조와 황금빛 광채가 대조를 이루는 리아헤나우 파의 세밀화 같은 중세 초기의 작품에서도 분명하게 드러납니다. 토마스 아퀴나스는 미에는 다음과 같은 세 가지 요소, 즉 비례, 완전성, 그리고 명료성이 가장 중요하다고 역설합니다.

- 명료성이라고 하면 중세와 어울리지 않는 개념 같은데 그것이 중요시된 이유는 무엇일까요?

- 그것은 기본적으로 신의 빛을 표현하는 수단이었기 때문입니다. 아우구스티누스에 따르면 당시 사람들은 〈전신을 조명하는 하느님의 빛은 하느님한테서 오며…, 하느님은 지성의 빛으로서, 지성에 있어서 밝은 그 모든 것은 하느님 안에서, 하느님에 의해서, 하느님을 통해 밝아진다〉고 믿었답니다. 아시다시피, 중세는 가톨릭의 절대 권력의 시대잖아요. 중세 사람들은 우주의 모든 사물이 초월적인 의미를 내포하고 있고 이 세계는 하느님의 손으로 쓰인 책이라고 굳게 믿었습니다. 실제로 예술 활동 대부분은 가톨릭교회의 직

접적인 요청으로 이루어졌습니다. 따라서 빛의 명료성이 예술 전반을 지배한 것 역시 당시 지배 이데올로기에 충실했던 결과인 거죠.

- 네. 차라리 고대 그리스 예술관이 낫네요. 하하하.

- 하하하. 하지만 또 다른 이유도 있는데 그것은 당시의 계급 문화와도 관련이 있습니다. 중세는 세 개의 신분, 즉 귀족, 성직자, 평민 계층을 명확하게 구분했고 계급상승이라는 건 원천적으로 불가능했습니다. 귀족층은 화려한 의상과 금과 보석으로 자신들의 부를 과시했고 그것을 나무랄 사람은 없었죠. 그리고 프란치스코회와는 달리 베네딕도회의 수도원들은 부를 축적하는 데 혈안이 되어 있었습니다. 농민은 기아에 시달렸고 그들의 옷은 그냥 먼지 색이었습니다. 영화 〈장미의 이름〉을 보면 잘 알 수 있잖아요. 이런 차이와 차별이 너무 당연할 때입니다. 조선시대에 양반들의 뽈록 나온 배가 부의 상징이자 미덕으로 여겨졌던 것과 마찬가지로 중세 예술가들의 눈에는 부의 지표들은 마냥 멋있게 보였을 겁니다. 그 결과 예술은 어두움의 시대라는 중세를 빛과 색채와 명료성으로 가득 채웠던 겁니다. 왜냐하면 예술가는 귀족이나 성직자가 시키는 대로 일하는 사람들이자 이름도 없는 기술자에 불과했거든요.

- 중세는 정신적 암흑시대라고 하는 게 더 정확하겠네

요. 하하하. 그러면 르네상스로 넘어가면서 어떤 변화
가 일어나죠?

- 아시다시피, 르네상스에는 원근법을 발견하고 인문주
의가 탄생합니다. 예술가는 새로운 것을 창조하는 동
시에 자연의 모방자로 거듭납니다. 르네상스는 미켈란
젤로와 다빈치, 플랑드르 화가들의 시대이자 발명과
기술 혁신의 시대이기도 하죠. 신대륙을 발견하면서
매우 큰 기대에 부풀어 있을 때죠. 남미에서 가져온
감자가 유럽 땅에서도 잘 자라서 기아 퇴치에 도움을
주기 시작합니다. 어떤 이는 감자가 없었다면 르네상
스도 없었을 거라고 말합니다. 실제로 인구도 증가하
거든요. 이때부터 사람들을 미를 자연의 모방 내지는
현실에서는 완벽하게 실현되지 못했기 때문에 맨눈으
로는 볼 수 없는 초자연적 수준의 완벽성으로 이해하
기 시작합니다. 창조와 모방이 결합하고 객관성과 주
관성이 조화를 이루기 시작합니다. 그리고 그 중심에
는 인간이 있었고요. 그래서 육체미가 예술 전면에 나
섭니다. 푹스라는 풍속학자가 말하듯이 이 시대의 인
간은 만물의 척도이고, 숨 쉬는 공기까지 에로틱한 관
능으로 채워집니다. 에로틱한 관능이 창조의 육체를
통해 드러나는 것이죠. 따라서 많은 화가들은 나체의
여성을 그립니다. 몸은 자연미를 뽐내야 했고 자연과
조화를 이루면서도 우주의 중심에 서게 되는 거죠. 이

것이 르네상스의 인간 중심적 이데올로기가 탄생시킨 미의 개념입니다.

- ….

- 흔히 말하기를 인류는 세 번의 지적 혁명을 일으킨다고 하잖아요…. 문자, 인쇄, 디지털 혁명요. 저는 인쇄 대신 르네상스를 집어넣고 싶네요. 하하하.

- 하하하.

- 근대로 접어들면서 상황은 또 바뀝니다. 모든 것은 치장과 사치로 물들고 지배적인 색채는 또다시 금색입니다. 그때 프랑스는 절대주의의 시대를 맞이합니다. 르네상스 시대에는 강인함과 건강함이 아름답게 보였고 그것은 활동적이고 생산적인 인간의 모습이었습니다. 앙시앵레짐, 즉 프랑스혁명 이전 시대이자 17세기에는 인체에 대한 이데올로기가 정반대의 방향으로 이상화됩니다. 한마디로 사치에 젖은 모든 것이 아름다움의 기준이 됩니다.

- 헐. 아주 큰 변화네요.

- 네, 그렇습니다. 명확한 반동입니다. 몸의 자연스러운 미는 화폭에서 사라지고 그 자리를 극도로 치장한 남성과 여성이 채우죠. 즉 여성을 그릴 때도 마냥 귀엽고 미성숙한 모습만을 담습니다. 이 시대는 위선의 시대이기도 합니다. 아니 위선과 무지와 오만의 시대죠.

- 위선의 시대라뇨?

- 무지를 먼저 얘기하면요, 베르사유 궁전으로 모여든 귀족들이 목욕을 안 한 건 알고 계시죠? 이유는 페스트 또는 흑사병 공포 때문이었는데 그 무서운 전염병이 물을 통해 전염된다고 믿었답니다. 루이 14세 왕도 목욕을 한 번도 안 했어요.
- 하하하. 그럼 어떻게 씻었죠?
- 향수 섞은 알코올로 몸을 씻었답니다. 오드 뚜왈렛 eau de toilette이 향수로 번역되곤 하는데 틀린 겁니다. 말 그대로 그것은 몸을 씻는 액체이거든요. 알코올에 향수 몇 방울 떨어뜨린 몸 세정제죠.
- 헐.
- 위선을 말하자면, 왕실에 출입하려는 귀족들은 굽실거려야 했고 출입이 허용된 이후에도 왕이나 더 높은 귀족에게 각종 아부와 사탕발림을 일삼아야 했죠. 예술가들은 오죽했을까 하는 우려는 상상에 맡길게요. 언어도 내용보다는 재치만을 뽐내야 했고 당연히 의상은 우스꽝스러운 지경에 이르게 됩니다. 나이 든 여자도 어린 척을 해야 했고 어린 여자들은 백치미를 드러내야 했습니다. 누가 누구의 정부나 애인이 되는 게 최대 관심사이자 경쟁이 되었죠. 왕은 수많은 정부를 공식적으로 거느렸는데 그중 몽테스탄과 퐁파두르가 가장 유명했습니다. 왕의 정부가 된 그녀들은 막강한 영향력을 행사했죠. 결국 3만여 명이 살던 베르사

유 사회는 한탕주의적 환락의 고모라가 됩니다.

- 재밌네요. 하하하.
- 이제 그 시절의 유치함을 말할 차례네요. 음…, 당시 가장 우스꽝스러운 것을 꼽으라면 가발입니다. 경쟁심에 사로잡힌 사람들은 더욱 큰 가발 제작을 의뢰하게 되었고 급기야는 1미터가 넘는 것도 등장합니다.
- 하하하. 멀리서도 눈에 띄었겠네요.
- 하하. 그러네요. 그때 등장하는 것이 남성용 하이힐입니다. 여성용 하이힐은 15세기에 발명되지만 17세기에 와서 크게 유행합니다. 사실 그것은 패션 역사에서 혁명을 가져오는 발명품이기도 합니다. 제 기억으로 푹스는 이렇게 말했어요. 하이힐 때문에 자세는 전체적으로 변하게 되는데 배가 들어가고 가슴을 내밀게 되는 것이죠. 넘어지지 않기 위해서 몸을 뒤로 젖히는 자세를 취해야 하는데, 그 때문에 엉덩이가 튀어나와 풍만함이 더욱 두드러진다는 겁니다. 무릎을 굽혀서는 안 되므로 자세는 전체적으로 더욱 젊고 진취적으로 보이며 앞으로 불쑥 내밀 수밖에 없는 유방은 터질 것처럼 보였다고 합니다. 내가 보기에 이런 식의 가슴 드러내기는 등 아래에 있는 엉덩이를 목 밑으로 올린 것에 불과하지만요.
- 하하하.
- 이 모든 것은 계급의 지표이자 차별을 공공연히 하는

절대주의의 도구인 동시에 권력의 과시였습니다. 어쩌면 그것은 역사상 최초로 나타나는 문화 자본의 우스꽝스러운 과시였을지도 모릅니다.

- 결국 근대는 사치와 함께 시작된 셈이네요.

- 어쩔 수 없는 거 같습니다. 요즘 주변만 봐도 알 수 있잖아요. 당시 상류 계층의 사치 풍조를 나열한다면 책 한 권으로도 부족할 겁니다. 사치에는 남녀가 따로 없었고 그것은 목숨을 건 경쟁이었거든요. 우선 신사는 가죽구두, 무도화, 가죽 덧신 등을 갖춰야 할 뿐 아니라 가죽, 양모, 비단으로 만든 양말에다 야간용 모자를 꾸미기 위한 비단 리본, 야간용 플란넬과 망세트를 단 잠옷 등이 있어야 했답니다. 웬만한 가발 가격이 2,900유로였답니다. 1720년 파리에서 비단 양말 한 켤레는 440유로였고요. 사교계에 드나드는 남자는 의복에만 13,000유로에서 17,000유로라는 큰돈을 썼습니다. 그 가운데는 레이스나 장식품은 포함되지 않았고요. 귀부인들의 치장은 더 심했습니다. 투르농이라는 아가씨가 결혼할 때 그의 백모 듀바리 백작부인은 그녀에게 모두 11,000유로 치의 편물 주머니, 지갑, 부채, 스타킹 끈 등의 장신구와 26,400유로와 5,840유로짜리 의상 두 벌을 선물했다는 기록이 있어요. 대례복 같은 건 더 비쌌는데 대략 64,000유로 또는 그 이상이었습니다. 1770년부터 1774년까지의 4

년 동안에 듀바리 백작 부인은 그녀의 외출복에만 백만 유로라는 큰돈을 썼답니다. 베뤼 부인이 죽었을 때 그녀의 재산 목록에는 코르셋 60개, 속내의 480장, 손수건 500다스, 뫼동에 있는 별장에는 시트만도 129장, 그밖에 헤아릴 수 없을 만큼 많은 의복이 있었는데 그중 실크 의상만도 45벌이나 있었답니다. 이 자료는 에두아르트 푹스가 쓴 〈풍속의 역사〉에서 가져온 것이고 나는 당시 화폐 단위였던 리브르를 2010년 기준의 유로로 환산해 봤습니다. 지금 다시 계산하면 가격이 더 오르겠죠.

- 하하하. 믿을 수가 없네요. 사실 귀족들이 돈을 마구 쓰는 것은 어쩔 수 없더라도 당시 하급 계층은 어떠한 심정이었겠어요? 모든 게 혁명을 향해 나간다는 느낌이네요.

- 그 시대에는 하층계급에서도 역시 사치풍조가 유행했답니다. 이상하죠? 하지만 사치의 광기는 모든 계층을 휩쓸어 버립니다. 가난한 집안에서도 돈 때문에 가정 불화가 많았다는 기록이 넘쳐납니다. 이것이 근대 여명의 초상화입니다.

- 요즘 졸부들의 행태를 비난할 수도 없네요. 요즘 한국에서는 아무리 가난해도 결혼식에 수천만 원을 쓰고 심지어는 웨딩사진 비용으로 몇백만 원을 지불한다네요.

- 네. 졸부가 철드는 데는 몇 세대가 걸릴 텐데…. 어쨌든 역사는 반복되는 거 같습니다. 이렇게 당시의 정치 이데올로기는 절대주의였고 아름다움의 기준 역시 그것에 복종한 셈이죠. 우스꽝스러운 기준들이 난무했지만, 그것을 비판한 사람은 극소수에 불과했고 절대다수의 사람들은 누가 더 우스꽝스러운지 경쟁했습니다.
- 아름다움의 기준은 참으로 엉뚱할 수 있고 역사에 제법 큰 상처를 남기네요.
- 그래서 저는 미에 대한 고찰은 미술사가 아닌 풍속사에서 찾아야 한다고 생각합니다.
- 네. 이야기가 이렇게 진행되었으니까 17세기 이후도 간략히 소개해 주시죠.
- 아시다시피 1789년에 프랑스혁명이 일어나잖아요. 이 시기는 그야말로 권력이 교체되는 시기로서 사회계층이 복잡해지고 여러 미학이 뒤섞입니다. 언론인, 작가, 예술가들이 새로운 세력을 형성하기 시작합니다. 여러 화풍도 등장하지만 제가 주목하고 싶은 건 숭고미의 탄생입니다. 18세기 말과 19세기에는 새로운 지역과 새로운 풍습을 알고 싶어 하는 열망에 가득 찬 여행가들의 시대였습니다. 몇몇 사람들은 정복이 아니라 새로운 기쁨과 새로운 감동을 경험하기 위해 아주 멀리 여행합니다. 이국적인 것, 흥미로운 것, 호기심을 불러일으키는 것, 특이한 것, 놀라운 것을 찾아 헤매

는 엘리트 운동이 일어납니다. 숭고미는 새로운 자연적 체험을 통해 느끼는 거대한 감동, 또는 미를 초월하는 극단적 감정의 상태를 의미하는데, 중요한 건 이런 미의 관념이 19세기 말까지 이어지면서 엄청난 영향을 미친다는 겁니다. 왜냐하면 그것은 칸트 철학에서 산스크르트어의 발견 그리고 찰스 다윈의 〈종의 기원〉까지 이어지는 원동력을 제공하기 때문이죠.

- 1832년 비글호에 탑승할 때 다윈의 나이가 22살이었는데 요즘을 생각하면 거의 안 믿겨집니다.

- 네. 그렇다고 다윈이 숭고미만을 추구했다는 말은 아니고요, 당시의 분위기를 얘기할 뿐입니다.

- 네, 그렇겠죠.

- 19세기에는 너무 많은 사건이 일어납니다. 과학 분야는 혁명적인 발전을 이룩합니다. 헤겔, 마르크스, 다윈, 큐리 부인, 레옹 푸코, 파스퇴르, 헤르츠, 파블로프 등 나열하기도 힘들죠. 음악에서는 베토벤, 브람스, 쇼팽, 드보르작, 파가니니, 슈베르트 등이 등장하면서 최고의 전성기를 맞이합니다. 미술에서는 신고전주의의 전통을 고수하는 다비드, 잉그레스, 들라크르와에 이어 사실주의의 쿠르베, 도미에를 거쳐 인상파 화가들, 즉 모네, 르누아르로 이어집니다. 그런데 이런 요동 속에서 간과할 수 없는 사건이 발생하는데 그것은 다름아닌 보헤미안주의의 탄생입니다. 미의 기준이 다

양한 변화를 겪어 왔음에도 불구하고 기본적으로 19세기 전까지는 제도권 내에서 이루어졌잖아요. 그런데 이제는 반제도권 예술이 탄생하는 겁니다. 저는 보헤미안 미학과 인생철학이 이데올로기적 조직력을 갖는 중대한 사건이라고 봅니다. 왜냐하면 이 사건은 20세기에 더욱 강력한 세력으로 발전하는 반문화의 출발점이기 때문입니다. 한마디로 록 음악의 선조라는 말이죠.

- 보헤미안주의는 문학사에 한 장르로 기록되지는 않았잖아요.

- 네. 왜냐하면 그것은 어떤 문학적 스타일이 아니라 삶의 스타일이기 때문입니다. 보헤미안이라는 단어는 집시를 가리키는 단어 중 하나인데 대략 전통적인 생활이나 관습에 얽매이지 않는 이른바 반체제적이고 극도로 자유로우며 자발적인 빈곤을 추구하는 예술가 내지는 그 비슷한 사람들을 총칭합니다. 그들이 떠돌이 집시처럼 살아서, 아니면 방값이 싼 집시 동네에서 살아서 그렇게 불린 걸로 알고 있습니다.

- 흥미롭네요. 삐따기 미학도 역사가 있다는 말도 되네요. 하하하.

- 당연히 역사가 있죠. 서양 철학사에서는 그 뿌리가 그노시스주의에 있다고 봅니다만….

- 영지주의라고 하는 기원 전후 철학의 한 유파를 말씀

하는 거죠?

- 네. 근데 gypsy라는 단어가 Egypt에서 유래됐다는 거 알고 계셨나요?

- 그러나요!?

- 본래 집시는 인도에서 이주해 온 인도아리아계의 유랑 민족인데 이집트를 거쳐 왔기 때문에 그렇게 불렸다고 하네요. 오래전에 그들을 보려고 인도 자이살메르에 갔었는데 실제로 있더라고요.

- 정말 흥미롭네요. 전 이런 양념 정보를 참 좋아합니다. 인터뷰를 통해 미의 역사를 훑다 보니 이런저런 얘기도 할 수 있어 더욱 좋고요.

- 가끔은 일탈도 재밌죠. 하하하. 그래도 다시 주제로 돌아가죠.

- 네.

- 미의 잣대 변화가 형식 탐구(고대)-신성의 미(중세)-자연미(르네상스)-치장미(17세기)-숭고미로 이어졌다는 점을 인정한다면, 결국 미적 이데올로기도 반동의 투쟁을 거듭했다고 볼 수 있습니다. 흥미로운 것은 이런 반동의 주기가 갑자기 짧아지면서 19세기부터는 상호 대립적 세력들이 더욱 가시화되고 동시대 안에서 충돌하기 시작한다는 건데 이런 현상은 20세기 중반까지 이어집니다. 미의 기준도 소용돌이칩니다. 좌파와 반문화 운동이 기득권을 뒤흔듭니다. 옛 귀족과 부르

주아지가 〈아름다운 시대 Belle époque〉를 만끽하는 동안 다다이즘과 초현실주의는 동시다발적으로 반격하기 시작하죠. 보헤미안들이 온몸을 던져 도발의 문학을 개척하고자 했다면, 이제는 새로운 재료 탐구(레이디 메이드 또는 오브제 트루베 Objet trouvé), 형식 파괴, 노골적인 비아냥거림을 일삼으면서 아방가르드 예술인들은 대중과의 소통을 시도합니다. 재즈가 탄생하고, 영화의 급격한 발전은 그것이 오락이냐 예술이냐 하는 논쟁을 일으킵니다. 또한 록 음악이 탄생합니다. 연극도 수많은 실험을 일삼으면서 현대성을 표현하고자 합니다. 포쉬로 S. Fauchereau가 말하듯이 20세기는 〈칸딘스키와 프로이트, 지드와 파운드, 마티스와 폴록, 프리츠 랑과 스트라빈스키를 비롯해서 입체파들과 구성주의자들, 영화인과 팝아티스트, 누보로망, 누벨바그 등이 이어지는 시대이죠.

- 점점 재밌어지네요.

- 그렇게 얘기하시니 고맙습니다. 어떤 사람이 무언가를 보고 아름답다고 느낀다면 그것은 그의 권리이자 행복이죠. 프로이트는 〈미를 즐기면서 인생의 행복을 찾는 건 매우 흥미로운 경험이다〉고 말합니다. 그에 따르면 미는 우리의 감각과 판단에 아름답게 느껴지는 모든 것입니다. 이를테면 인간의 모든 모습과 몸짓의 아름다움, 자연물과 풍경의 아름다움, 예술 작품과 과

학적 창조물의 아름다움입니다. 삶의 목표에 아름다움을 추가하는 것은 많은 것을 보상해 주는 거 같습니다. 미를 즐기는 것은 감각을 가볍게 도취시키는 독특한 성질을 갖고 있잖아요. 미 자체는 돈과 전혀 상관이 없고요. 미가 없으면 문명도 존속할 수 없을 겁니다.

- 가끔 미의 엉뚱한 기준이 유치한 흔적을 남겨도, 진짜 아름다움은 존재하고 또 존재해야 한다고 믿고 싶네요.

- 인간이 먹고 자고 싸고만 산다면 어떻게 되겠습니까?

- 그냥 멍멍이겠죠. 하하하.

- 네. 부연 설명을 하자면 예술은 우리로 하여금 일상의 단조로움을 벗어나게 하고 상상력을 충전하게 하는 매우 중요한 기능을 갖습니다. 그 방면에서는 설치 예술이 가장 앞서는 거 같습니다. 그리고 작가주의 영화를 통해 우리는 감독-작가의 영상 미학을 음미하거나 다양한 사회문제를 다시 한번 생각할 수 있잖아요. 심지어는 어떤 예술 작품을 보고 이해가 안 되더라도 일상을 뛰어넘는 자극이 될 수 있고요….

- 맞는 말씀입니다. 마르셀 뒤샹을 〈샘〉이 떠오르네요. 음…, 마지막 질문일 수 있는데요, 그러면 지금 21세기 미의 기준은 어떻다고 보시나요.

- 어려운 질문이네요. 음…. 어쨌든 르네상스는 아닌 거

같네요.

- 하하하.

- 오류를 무릅쓰고 몇 마디 하자면 21세기는 세계 경제 지도를 바꿔놓고 있잖아요. 유럽의 구매력이 다소 떨어지고 다섯 마리의 용이라고 불린 나라들이 큰 성장을 이룩하자마자 중국이 경제 대국으로 불뚝 섰어요. 다시 말해, 기존의 부국들이 약해지고 신흥부국들이 왕성한 소비력을 드러내고 있는데 이런 상황은 새로운 미를 창출하는 데 별 도움이 안 될 겁니다. 못살다가 부자가 되면 우선 소비하기 바쁘잖아요. 예술을 따질 겨를이 없는 거죠. 게다가 예술을 음미하려면 약간의 사전 지식이 필요한데 그럴 시간이 있는지도 모르겠네요. 거의 모든 이들이 인터넷에 중독된 상황은 그만큼 광고에 노출되었다는 걸 의미하잖아요. 대중은 어려운 예술보다는 달콤한 광고에 마음을 빼앗기겠죠. 통상적으로 소비를 만끽한 다음에 예술에 눈을 뜬다고 하는데 중국 인구 14억, 인도 인구 14억, 인도네시아 거의 3억, 그런 나라에서 중산층에 합류하는 이들이 소비하고픈 걸 다 하려면 시간이 얼마나 걸릴까요? 몇백 년은 대량 소비가 이어질 거 같네요. 어느 세월에 문화 엘리트가 등장해서 새로운 예술을 이해하고 받아들인 다음 대중화되겠습니까?

- 비관적이시네요.

- 현실적인 거죠. 하지만 이럴 때도 있고 저럴 때도 있는 거 아닐까요? 사실 유럽도 걱정됩니다. 경제가 나빠지면 결국 우파정권이 등장할 것이고 예술은 더욱 위축될 겁니다. 이탈리아에서는 이미 극우 정당이 정권을 잡았잖아요. 그들은 보수 가톨릭과 연합할 거고요. 그리고 언제부턴지 엄청난 권력을 갖게 된 미디어들은 항상 불안을 조성하고 있습니다. 팬데믹, 러시아의 핵, 이란 핵, 팔레스타인, 금융대란, 그냥 경제난, 실업난, 난민 등의 문제는 매일 뉴스를 채웁니다. 예술이라는 잉여의 미적 활동이 일어나기에는 안 좋은 상황입니다.
- 어휴.
- 아주 새로운 실험이 될 거 같습니다.
- … 네. 오늘 정말 고맙습니다. 좋은 말씀 잘 들었습니다.
- 네. 저도 고맙습니다. 한국에 가면 연락드리겠습니다. 안녕히 계세요.
- 네. 이만 끊겠습니다. 진심으로 감사드립니다.

인터뷰 #5

인종차별

- 우선 인터뷰에 응해주신 것을 다시 감사드립니다. 미리 얘기했듯이, 우리 인터뷰는 형식적으로 자유롭고 기존의 학구적인 틀에서 좀 벗어나기를 원합니다. 따라서 무조건 편하게 이야기를 나눴으면 합니다. 독자들을 위해 제가 선생을 간략히 소개하겠습니다.
- 네.
- 우선 선생께서는 영국에서 사회학을 전공했고 지금 대학에서 가르치고 있는데 저술도 몇 권 내셨고, 특히 국제학술지에 꽤 많은 논문을 게재하셨는데 아직도 시간강사로 활동 중이시죠? 정규 교수 자리를 못 잡으셨는지요?
- 하하하. 못 잡았습니다. 이젠 포기했습니다. 사회학과에서 교수를 뽑는 일도 거의 없어졌을 뿐만 아니라 대학마다 사회학 전공이 없어지고 있는 형편이랍니다.

다행히 아내가 돈을 벌어서 저는 인세와 강의료로 생계에 보태고 있는 정도입니다. 대신 자유롭게 연구하기를 즐기고 있습니다. 아내가 교사인 게 천만다행입니다.

- 그럼, 본론으로 들어가서 그리고 미리 준비한 대로 이번 주제는 인종차별로 잡았습니다.

- 네.

- 인종차별이란 무엇인지 먼저 짚고 넘어갈까요?

- 기본적으로는 인종차별 또는 인종주의는 말 그대로 여러 인종이 존재한다는 신념을 말합니다. 이를테면 인간을 호모사피엔스로 보는 게 아니라, 여러 종이 있다는 주장이자 피부색에 따라 행동 특성의 차이나 우열이 존재한다는 믿음이죠. 흔히 한 민족이 다른 민족에 대한 적대감을 드러내는 배타주의의 형태로 나타납니다.

- 우열, 신념, 배타주의라는 키워드를 기억하도록 하죠. 그러면 〈인종〉이라는 단어의 기원은 어떻게 되죠?

- 네. 일각에서는 race라는 단어가 말을 사육할 때부터 쓰였다고 하네요. 그렇다면 〈품종〉이라는 의미를 갖겠죠. 그러면서 19세기 말 유럽에서 〈인종주의〉라는 용어는 다량 사용되기 시작했고 지금의 의미를 갖게 됩니다. 하지만 그것이 가리키는 사상과 관행은 매우 오래전으로 거슬러 올라갑니다. 근대 서구 사회에만 국

한되지도 않습니다. 고대 그리스인들에 이어 로마인들은 야만인을 뜻하는 바바리안이이라는 단어를 썼는데 그것은 외지에서 온 열등한 존재를 가리켰습니다. 고대 그리스에서는 단지 그리스어를 사용하지 않는 이유로, 고대 로마에서는 문명인의 반대말로 이 용어를 사용합니다. 그러나 아시아 등지에서도 인종차별과 유사한 형태를 목격할 수 있습니다. 조센징, 왜놈, 짱꼴라 같은 단어가 있잖아요.

- 사전적 정의에 매달리지 않는다면 본인이 잘났다고 굳게 믿으면서 잘 알지도 못하는 다른 민족을 무시하는 꼴이네요.

- 음… 그런 의미로 시작했지만, 지금은 좀 더 섬세하게 다루어야 하는 개념으로 바뀐 거 같습니다. 15세기부터 유럽인들은 지중해라는 그들의 좁은 세상을 넘어서 아메리카와 아프리카를 발견하게 되잖아요. 그리고 17세기 초부터 유럽의 학자들 사이에서는 그들이 이미 야만인으로 낙인찍은 원주민들의 신체적 차이를 설명하려는 움직임이 일어납니다. 그렇지만 당시의 지적 한계로 인해, 그리고 무엇보다 당시의 식민지 정책을 합리화하기 위해, 타민족을 외형으로만 바라본 겁니다. 이런 걸 형태학적 인류학이라고 부릅니다. 게다가 아프리카 원주민들이 거의 벌거벗고 다니거나 아메리카 인디언들이 티피라는 텐트에서 사는 걸 보

고, 그들이 열등해서 그렇다고 생각합니다. 무지와 오만이 시너지를 만들어낸 겁니다. 18세기에는 그야말로 사이비 과학을 앞세워 생물학적·문화적 속성을 적당히 섞은 인종의 정의가 만들어집니다. 이미 프랑스에서는 귀족들이 평민과 신흥부르주아지로부터 자신들의 지위를 방어하기 위해 순수혈통이란 말을 만들었고, 뒤늦게 통일을 맞이한 독일에서는 혈통 귀족주의와 민족주의가 혼합한 순수 게르만 인종의 국가관을 세우려는 운동이 일어납니다. 바로 이런 운동이 인종차별주의와 나치즘으로 연결됩니다만…. 이렇게 인종주의는 식민주의에서 극우주의로 넘어갑니다.

- 그러면 인종에 관한 18세기 사이비 과학에 대해 좀 얘기해 주시죠.

- 그것은 18세기 중반에 몇몇 박물학자들이 만들어낸 대형 코미디입니다. 이를테면 신이 창조한 종은 완벽하지만, 그 안에는 기후와 장소에 따라 구별되는 불안정한 〈변종〉이 있다고 주장합니다. 그런 변종은 대체로 검은 피부를 가졌는데, 지능도 모자라고 열등한 변종들이 어떻게 대를 이어 살아가는지도 설명해야 했죠. 인간에게도 품종이 있다는 걸 인정하든지, 아니면 인종의 개념을 도입하든지 선택했어야 합니다. 결국 〈인종〉이라는 개념이 채택되는데 그것을 전제로 다양한 인종을 기술하고 분류하기 시작합니다. 말하자면

백인 이외의 다른 "인종"은 실패작이라는 대전제를 세우는 꼴이죠. 심지어는 찰스 다윈의 이론도 악용되는데 그의 대표적인 저서 〈종의 기원〉의 전체 제목은 〈On the Origin of Species by Means of Natural Selection, or the Preservation of Favoured Races in the Struggle for Life 자연선택에 의한 종의 기원, 또는 생명을 위한 투쟁에서 유리한 종의 보존에 관하여〉입니다. 제목만 보고는, 유리한 방향으로 진화하면 백인이 되는 것이고, 그렇지 않으면 다른 "인종"이 된다고 주장하는 이들도 있었죠. 하지만 다윈이 정의한 종은 불안정한 유전자를 물려받은 변이체가 시간이 갈수록 고정되는 또는 안정되는 결과에 불과합니다. 지금도 어떤 사람들은 〈진화〉를 좋은 쪽으로 발전하는 과정으로 잘못 알고 있습니다. 전혀 그게 아니라 진화는 오로지 생식을 많이 하는 적응의 결과에 불과합니다. 만약 지능이 아주 낮은 사람들만 지식을 낳아서 100년 후 지구 인구의 평균 IQ가 60 아래로 떨어져도 진화인 거죠.

- 하하하. 맞는 말씀입니다.

- 어쨌든, 19세기 박물학자들은 별의별 측정 방법을 다 도입하는데, 그중 대표적인 것이 두개골 크기와 안면 각도입니다. 안면 각도는 안면과 턱의 각도를 말하는데 그것이 90도에 가까울수록 우월한 인간이라는 주

장을 펼칩니다. 이런 측정 방법을 가지고 아름다움, 지적 능력, 도덕성 등의 순위를 매기는데 기준은 역시 서양인인 거죠. 이따위 방법을 ethnometry, 즉 민족지학이라고 했지요. 심지어는 타고난 범죄자의 특징을 열거하는 이도 있었는데, 롬브로소 Lombroso라는 사람으로 기억하는데, 그에 따르면 타고난 범죄자들은 사각턱이나 좁은 미간이라든지 두드러진 눈썹뼈와 같은 해부학적 특징을 가졌다는 겁니다. 우생학의 시초인 셈이죠.

- 하하하. 인류의 역사로 보면 19세기는 불과 몇 초 전인데 이토록 무지하고 오만했다는 게 정말 신기하네요.

- 21세기를 맞이한 지금, 인간이 행하는 것 중에 얼토당토않은 것도 많잖아요. 76%의 미국인이 아직도 창조론을 믿듯이…. 어쨌든 19세기 일부 유럽인들은 열등한 흑인이나 황인들이 야만성에서 벗어날 수 있도록 지도해야 한다고 믿었고, 따라서 식민 지배는 도움을 베푸는 제도라고 생각한 거죠.

- 헐. 인류학은 형태 인류학과 문화 인류학으로 나뉜 적도 있는데 지금 언급한 것이 형태 인류학이라면 문화 인류학은 조금 더 객관적이었나요?

- 19세기까지는 마찬가지였습니다. 당시 제국적 이데올로기가 너무 거센 나머지 식민 지배를 정당화하는 도

구로 사용되다가 브로카, 모스 그리고 나중에는 레비 스트로스에 와서야 민족 간 우열의 개념이 무너집니다. 예를 들어 브로카는, 여성의 뇌가 남성의 뇌보다 10% 정도 적다고 해서 지능이 낮지 않다는 사실을 밝혀냈는데 여성과 남성의 신체적 차이를 고려한 거죠. 예를 들어 거대한 고래의 뇌 무게가 8kg라고 해서 인간보다 더 지능이 높은 건 아니잖아요! 브로카는, 미개했다고 여겨지던 중세인들의 뇌가 19세기 사람의 뇌와 크기가 똑같다는 사실과 특히 네안데르탈인의 뇌는 현대인의 그것보다 더 컸다는 사실도 알아냈습니다. 그리고 20세기에 들어서면서 레비스트로스는 아마존 부족의 혼인 체계가 구조적으로 유럽의 그것과 똑같다는 사실을 밝혀내죠. 참, 네안데르탈인이 호모사이피엔스보다 더 월등했다는 거 아시나요? 사냥 능력, 신체 구조 등을 보면요. 하지만 호모사피스엔스에게는 사회적 조직력이 있었고 그 힘을 앞세워 네안데르탈인들을 다 흡수해 버립니다. 이것도 진화이고요….

- 네. 아주 흥미로운 지적이네요. 그러면 지금은 어떤가요? 인종차별이 정말 존재한다고 봐야 할까요?

- 음…. 이제 인종차별 문제는 아주 복잡한 모양새를 갖게 된 거 같습니다. 있다 없다 말하기도 애매하고, 다른 문제가 얽히면서 누구의 주장이 옳다고 말하기

도 어렵게, 그것에 관한 판단이 주관적일 수밖에 없는 모호함을 갖게 된 거 같습니다.

- 그렇게 복잡한가요? 그래도 나름 정리해 본다면요….

- 내 생각을 말할 수는 있는데 그게 납득할 만큼 객관성을 갖는지 모르겠네요…. 음…. 인간의 게놈이 다 밝혀진 지금, 인종을 따지는 이는 그냥 무지한 놈입니다. 게다가 식민 제국 시대도 끝났고 서구의 지배력도 약해졌으니 민족 간의 우열을 따지는 발상도 거의 없어진 건 사실입니다. 남아 있다면…. 미국의 보수 세력 내지는 극우파의 주장에서 아직 남아 있죠. 하지만 그런 인종주의는 오래전 백인이 세상을 지배하던 시절을 그리워하는 일종의 노스탤지어에 불과하죠. 그럼에도 정치적 도구로 사용되고 있습니다. 소외계층이 많을수록 극우 정당의 단순한 구호들이 호소력을 갖기 마련이잖아요. 내가 보기에 그것은 조정되는 인종주의입니다. 그런데 극우당이 집권하면 실제로 외국 근로자나 유학생들의 복지 혜택 내지는 서류 심사가 까다로워집니다. 이걸 인종차별이라고 봐야 하는지, 그냥 그 나라의 정책이라고 봐야 하는지 경계가 모호해집니다. 여러 사정으로 유학생 입학이 까다로워진다는데 무슨 말을 할 수 있겠습니까? 단, 어떤 나라에서 스웨덴 학생은 받고 콩고 학생은 안 받는다면 그건 명백한 차별이죠. 따라서 제도적 인종차별은 이제 없

다고 봐야 할 거 같습니다. 더 쉽게 말하면 이제 아파르트헤이트를 고수하는 나라나 기업이 없듯이, 백인만 투숙할 수 있는 호텔도 없다는 거죠.

- 그러면 일상에서의 인종차별주의는 어떤가요?

- 일반적으로는 이제 인종차별주의는 죄악시되고 있습니다. 지성인은 물론이고 주로 좌파 젊은이들 사이에서 더 두드러집니다. 게다가 우리가 모두 호모사피엔스라는 사실이 입증된 지금, 인종의 개념 자체가 아주 아주 잘못된 거라는 사실을 모르는 사람이 없잖아요. 그 때문에 인종을 따지는 자는 무지하다는 꼬리표가 생긴 겁니다. 마찬가지로 몇 년 전부터는 아시아 학생들이 수학올림피아드를 석권하니까 이상한 말이 나오는데 그것도 무지입니다. 그냥 훈련을 많이 받을 거뿐이고 인종이랑은 하등의 관계가 없는 거죠.

- 네.

- 게다가 관념적 인종차별의 문제는 나라마다 달라요. 만약 나름의 일관성을 찾자면 한 나라의 경제와 밀접한 듯합니다. 좀 전에 말했듯, 경제가 안 좋을수록 외국인 (근로자)에 대한 인식이 나빠집니다. 그런 사회는 당연히 우경화되고 중세에 마녀사냥이 있었듯이 외국인 혐오증이 생기는 꼴이죠. 프랑스, 이탈리아, 불가리아를 비롯해 심지어는 스웨덴에서도 극우 정당이 점점 목소리를 높이고 있잖아요. 하지만 이런 문제

는 주로 서유럽에 해당하고 미국이나 한국은 또 다릅니다.

- 그러면 한국을 기준으로 주제를 좁혀 볼까요?

- 좋습니다. 그런데 오해를 불러올 수 있는 내용도 있습니다.

- 편하게 이야기하세요….

- 한국을 이야기하려면 어쩌면 집단주의를 먼저 얘기해야 합니다. 한국은 아직도 농경문화의 잔재를 많이 간직하고 있어서 집단 또는 공동체에 대한 애착이 아주 강합니다. 〈우리〉라는 말이 얼마나 빈번한지 주변을 둘러보면 알 수 있잖아요. 우리 가족, 열린우리당, 우리은행은 물론이고 모교, 동문, 형 아우 관계는 다 〈우리〉의 관념에 기초하고 그 결속력도 제법 강합니다. 아마도 웬만한 폭력 조직만큼 강할 겁니다. 그래서 한국 영화의 단골 메뉴가 〈조폭〉일 수도 있어요. 하하하. 그런데 중요한 건, 〈우리〉라는 관념이 〈우리 아님〉을 전제로 한다는 사실입니다. 〈우리〉가 있으면 〈타인〉이 있는 거죠. 배타성을 갖는다는 말이죠. 농경 사회에서 이방인은 항상 불청객이었듯이요. 대신 공동체 안에서는 음식도 나누어 먹고 일손도 공유해야 합니다. 거기에는 개인이나 사생활이 없어요. 한국인이 찌개를 먹을 때 모두가 숟가락으로 떠먹는 것도, 술잔을 돌리는 것도 공동체 의식을 반영합니다. 여기에 인

종의 우열 개념, 즉 인종차별적 관념이 가세하는데, 문제는 그것이 가해자로서가 아니라 피해자의 처지에서 들어왔다는 겁니다. 조선시대와 중국의 관계. 근대 초기 일본의 식민 지배, 한국 전쟁 이후 미국의 지배가 그겁니다. 따지고 보면 19세기의 서구인과는 정반대 입장에서 인종의 개념을 알게 된 셈이죠. 어느 쪽이 덜 나쁘다는 말은 아닙니다. 그런데 80년대부터 잘살게 되면서 어느새 국내에서도 외국인 근로자들이 보이기 시작했습니다. 그러는 사이에 돈이 절대적인 잣대가 되었습니다. 그 결과 부자나라는 잘 났고, 못사는 나라는 못났다는 등식이 뿌리내리게 되었습니다. 국민건강보험이 없어도 미국은 잘 났고, 가난하므로 필리핀은 못난 거죠. 그런 강박이 얼마나 뿌리 깊은지 중등교육에서 영어를 6년간 배워도 서양인 앞에서는 한 마디 못하는 것입니다. 일종의 인지 장애입니다. 네팔에서 온 근로자가 한국에서 수년을 살아도 한국 친구가 한 명도 없습니다. 한국 학생이 영국에서 공부하는 수년간 영국인 친구가 단 한 명도 없다고 생각해 보세요. 물론, 네팔 근로자가 일하는 공장에서 〈우리〉의 일원이 되는 순간부터 그는 가족 대우를 받을 겁니다. 하지만 공장 밖에서는 꿈도 못 꾸죠. 대신, 서양인에게는 너무 친절하고 잘해주며 어떨 때 보면 간도 빼줄 거 같아요. 아주 오래전에 EBS에서 방영된 무슨 심리테스트 프로그램이 있었는데 외국인을 세워 놓고 행인들에게 길을 묻게 했어요. 그러자 동남아인의 도움 요청에 응하는 이는 아무도 없었던 반면에, 서양인에게는 아예 찾는 곳까지 데려다주겠다는 이도 있었답니다. 차별도 이런 차별이 있겠습니까? 국제결혼도 마찬가집니다. 늙은 시골 총각이 어린 동남아 여자를 데려오잖아요…. 그걸 다문화 가족이라고 하는데 내가 보기에는 그냥 인신매매입니다.

- 하하하.

- 그런데 사람들이 인종차별로 혼동하는 것도 많습니다. 만약 어떤 외국인 남녀가 정말 이상한 모습으로 명동거리를 걷고 있다고 합시다. 〈올드보이〉 머리의 남자가 바지 지퍼를 연 채로 한 손으로는 자기 여자친구 가슴을 주무르면서요…

- 하하하. 재밌네요.

- 재미있지만, 일반적으로 사람들은 인상을 찌푸리고 도망가거나 욕을 할 겁니다. 그러나 외국인이기 때문에 그런 반응을 보이는 건 아니죠. 그냥 그런 행태가 꼴보기 싫어서 그런 거겠죠. 몇 년 전에 유튜브에서 본건데 런던 하이드파크에서 어느 중국인 아주머니가 아이의 두 다리를 잡아들고 똥을 누였나 봐요. 그걸보고 욕하면 인종차별인가요? 아니죠. 그냥 공원에서 똥 싸게 하는 행위에 항의하는 시민의 반응이죠.

- 솔직히, 지금 사례는 너무 극단적이네요. 하하하.
- 맞아요. 하지만 실제로 있었던 일입니다. 그러면 시간이 허락하면 좀 더 애매한 사례를 언급해 볼까요?
- 시간은 많습니다.
- 음…. 이번 인터뷰를 준비하면서 유튜브에서 〈인종차별〉을 검색해 봤어요. 몇 가지 동영상이 올라와 있었는데 그중 하나는 한국 코미디언 세 명이 해외여행 경험이 없는 아주머니 여덟 명을 데리고 유럽에 갔을 때 겪은 일을 전하고 있더라고요. 대충 내용은 벨기에의 무슨 도시에서 유람선을 타고 지나갈 때 강둑에 앉아 놀던 아이들이 양쪽 눈을 찢으며 시시덕거리는 게 카메라에 잡혔습니다. 이를 두고 일부 네티즌들은 동양인을 비하하는 인종차별적 행위라고 하면서 분노했습니다. 여기서 짚고 넘어갈 게 있어요. 똑같은 헤어스타일의 아주머니들이 모두 잠자리 선글라스를 쓰고 두 손으로 하트 모양을 만들어 카메라에 잘 잡히려고 애쓰는 모습은, 적어도 유럽인 입장에서는 다소 웃깁니다. 내가 그곳에 있었어도 한심했을 겁니다. 그래서 그건 인종차별이 아닙니다. 그냥 유치한 모습에 대한 장난인데 오래전에 코드화된 손짓을 사용했을 뿐이죠. 아마도 밥 말리 Bob Marley라는지, 그보다는 그냥 무명 레게 뮤지션이 혼자서 그런 유람선을 타고 있었다면 아무 반응도 없었을 겁니다. 같은 동영

상에서 무슨 한국식당을 주제로 하는 프로그램도 언급하는데 서빙을 하는 남자 배우에 대해 어떤 스페인 손님이 〈동양인치고 잘 생겼다〉, 그리고 다른 날 다른 테이블에서 어떤 남자가 〈저 사람, 약간 게이 같다〉라고 중얼거린 말도 비하성 발언이라고 하더군요. 하지만 여기서는 두 가지 문제를 구분해야 합니다. 하나는 할리우드를 선두로 하는 대중오락물이 세계를 지배하면서부터, 잘생겼다는 기준이 서구 중심으로 바뀌었고, 아시아의 영화배우나 가수는 물론이고 대중은 그것에 반기 든 적도 없어요. 그토록 일반화된 성형수술도 동양적 미를 벗어나려는 몸부림이잖아요···. 오래전에 영국 친구가 장동건 영화를 보고 그가 다소 서양인처럼 생겼다고 했는데 틀린 말이 아니죠. 그렇다면 〈동양인치고 잘 생겼다〉고 말한 이는 〈아시아의 순수 아름다움의 기준에 비추어 볼 때 잘 생겼다〉고 말할 능력이 없는 사람에 불과한 거죠. 그리고 〈저 사람, 약간 게이 같다〉는 발언은 또 다른 문화 차이에서 비롯된다고 생각합니다. 가수 싸이가 서빙 담당 있었다면 그런 말도 안 나왔을 겁니다.

- 하하하.
- 사실 일부 한국 남자들은 피부도 곱고 희며 헤어스타일도 단정하고 옷도 깔끔하게 입어요. 너무 꽃미남인 거죠. 이것이 잘 못 해석되면 성적 정체성까지 의심되

는 겁니다. 과장법을 쓰자면, 만약 한국에서 남자 새끼손가락에 빨간 매니큐어 칠하는 게 유행이라면 그것도 오해를 살 수밖에 없을 겁니다. 대신 서양 남성의 코드 중에는 수염도 안 깎고 일부러 터프하게 보이려는 것도 있어요. 아니 많아요. 유럽의 미적 기준 중 하나는 중세 기사단에서 오는 것도 있기 때문인데 그래서 유럽에는 딱 3일 된 수염처럼 깎아 주는 전기 면도기를 많이 사용한답니다. 하지만 한국인 입장에서 보면 나이도 헷갈리고 지저분하게 보일 수도 있어요. 양쪽 다 코드인데 오해를 불러일으키기에는 충분조건이 되는 셈이죠. 결국 인종차별과 문화 코드의 차이를 구분할 필요가 있습니다. 한국인이 뚱뚱한 미국인을 보면서 〈저 사람 너무 뚱뚱하다〉고 말하는 건 인종차별이 아닙니다. 같은 맥락에서 한국 여대생 세 명이 방콕의 게스트하우스에서 방값을 깎아보려고 조금은 불쌍한 표정으로 〈We students, discount please〉라고 하면 주인은 순간이나마 인지적 마비를 일으킬 겁니다. 한국이라는 부자나라에서 비행기 타고 온 말끔한 대학생이 그런 말을 하기 때문이죠. 방값이 20불이라면 차라리 〈Fifteen〉이라고 말하면서 살짝 웃는 게 더 효과 있을 겁니다. 참. 한 가지 빠뜨린 게 있네요. 아까 말한 강둑에 앉아 놀던 아이들 말인데요, 그들이 아무 반응 안 보였어도 속마음은 똑같았을 거라고 덧붙이고 싶네요.

- 정리하자면 제도적 인종차별은 사라졌지만 문화 차이에서 오는 차별은 아직도 간헐적으로 있다고 보면 될까요?

- 솔직히 나는 그것도 없다고 봐요. 만약 있다면 그것을 당한다고 생각하는 사람의 머릿속에 있는 거 같습니다. 어떤 사람의 머릿속에 인종의 개념이 없다면 인종차별도 느낄 수 없겠죠.

- 선생께서는 버밍엄대학 현대문화연구소와도 교류가 있다고 알고 있어요. 이미 이런 문제를 다룬 적이 있죠?

- 영국에 있을 때 조금 교류했습니다. 하지만 나는 피에르 부르디외의 영향도 받았습니다. 특히 문화 자본의 개념은 문화 차별을 이해하는 데 유용했습니다.

- 간단히 소개해 주시겠어요?

- 네. 음…, 일반적으로 사람들은 〈자본〉하면 돈을 떠올리는데 그건 여러 자본 중 하나입니다. 부르디외는 〈토지 자본〉, 〈금융 자본〉, 〈사회 자본〉, 〈문화 자본〉을 구분하는데 그냥 쉽게 말하면 땅, 돈, 인맥, 지식이라고 할 수 있어요. 농경 사회에서는 당연히 〈땅〉이 곧 권력이었고, 개발도상국에서는 대체로 〈돈〉과 〈인맥〉을 중시하지만, 선진국에서는 〈문화 자본〉이 등장한다는 겁니다. 〈문화 자본〉은 자연스럽게 몸에 각인

된 (그래서 그는 육화된 자본이라는 표현을 씁니다만) 지식, 교양, 기능, 취미, 감성의 총체입니다. 그는 문화 상품(예술품, 책, 도구, 기계)의 소유와 제도화된 상태(예를 들어 학교 졸업장)로서의 문화 자본도 말하지만, 내가 보기에는 〈육화된 자본〉으로서 문화 자본이 중요합니다.

- 그렇군요. 그런데 문화 자본과 인종차별의 관계에 초점을 맞춘다면요….

- 인종차별보다는 그냥 차별과 관련이 있어요. 말하자면 상위개념이죠.

- 네. 좀 더 구체적으로 얘기해 주시죠.

- 알겠습니다. 부르디외에 따르면 문화 자본은 의식적으로든 무의식적으로든 사회 경쟁에서 사용될 수 있는 무형의 재산을 가리킵니다. 취향의 문화적 가치가 인식된 이후로, 그래서 중세나 중국의 어느 시골 마을은 제외되죠, 그것은 사회 경쟁에서 유리한 고지를 확보할 수 있는 도구로 사용되고 있습니다. 하지만 취향은 타고나는 것이 아니라 개인이 태어난 환경에서 터득하는 자본입니다. 어떤 부모는 아이에게 아주 자연스럽게 또는 마치 당연한 듯이, 매너와 미각을 가르치고 호기심을 자극함으로써 세련된 취향을 갖게 할 수 있고 실제로 그렇게 하는 이들도 많습니다. 어릴 때부터 먼 나라 얘기도 해주고 언어를 통해 단조로운 현실을

뛰어넘는 여행도 선사하죠. 그렇지만 이런 환경이 아니어도 문화 자본은 의도적인 훈련을 통해 터득할 수도 있긴 합니다. 어쨌든 취향은 끼리끼리 뭉치게 합니다. 예를 들어 재즈에 대한 지식은 동호회를 만들게 하고, 공감대만 형성되면 처음 보는 사람에게도 호감을 느끼게 하죠. 대신 배타성도 갖습니다. 클래식 음악을 즐겨 듣는 여성이 댄스음악의 열성 팬인 남성에게 호감을 느낄 가능성은 매우 낮을 겁니다. 무시하지 않으면 다행이죠. 게다가 이런 취향 차이는 의상, 매너, 몸짓에서도 드러나고요. 여하튼 이런 두 사람이 우연히 대화를 나누게 되었는데 서로의 차이가 확인될수록 서로의 관심도 급격히 멀어질 겁니다. 마찬가지로 어떤 유학생이 그 나라 대학생들이 가끔 환경 내지는 정치 또는 문화를 주제로 토론을 벌일 때 아무 말도 못 하거나 엉뚱한 얘기를 꺼내도 썰렁하긴 마찬가지겠죠. 이런 건 차별이 아니라 차이 확인입니다. 대놓고 무시하면 차별로 느껴지고 요령껏 소통을 접으면 상대방은 아무것도 모를 수도 있어요. 결과는 똑같지만….

- 같은 문화권에서도 이런 차별화 현상이 있겠네요.

- 그럼요. 문화에 따라 어떤 외국인들의 행위는 다소 거부감을 일으킬 수도 있지만, 동일 문화권에서도 충분히 있을 수 있습니다. 물론 하이드파크에서 아이에

게 대변을 보게 하는 보편적 거부반응을 일으키지만
요….
- 하하하….
- 큰 재앙이 일어나지 않는 이상, 그건 문화 코드가 될
수 없기 때문입니다. 그래서 〈저 사람, 약간 게이 같
다〉는 발언을 다시 언급하자면, 그런 미모의 아시아
남자들이 점점 많아져서, 또는 많이 보여서 당연시되
면, 다시 말해 나름의 문화 코드로 자리매김하면 결국
그런 발언 내지는 발상도 없어질 겁니다. 우리가 히스
로공항에서 히잡으로 온몸으로 가리고 시커먼 선글라
스까지 쓰고 있는 여성을 봐도 놀라지 않잖아요.
- 하하하. 객관적으로 보면 매우 독특한 의상이긴 하죠.
자꾸 웃음이 나오네요.
- 다행입니다.
- 오늘 인터뷰 내용을 정리하자면 인종이라는 단어가
애당초 잘못된 것이고, 인종차별이란 관념은 무지한
자의 소유물이네요. 게다가 그런 관념이 없는 이에게
는 존재하지 않는다고 말할 수 있고요.
- 네. 고생이라는 관념을 가진 사람은 조금만 힘들어도
어떤 일을 고생으로 느끼듯이, 인종의 개념은 중세의
마녀사냥처럼 무지와 오만이 결합해서 만들어진 유해
하기 짝이 없는 유물입니다.
- 네. 오늘 얘기 재밌게 잘 들었습니다. 다시 한번 감사

하다는 말을 드리고 싶습니다. 나머지 얘기는 술 한잔
하면서 하죠.

- 이제 좀 편하게 말할 수 있겠네요. 하하하.
- 기대하겠습니다.

인터뷰 #6

몸

- 안녕하세요, 오늘 인터뷰에 응해주신 것에 감사드립니다. 미리 알려드렸듯이, 오늘의 주제는 〈몸〉입니다. 선생님을 소개하자면 서양철학을 전공하셨지만 아주 일찍 기호학으로 전환하셨고요, 대학에서 가르치다가 일찍 은퇴하셨습니다. 이렇게 일찍 직장을 그만두신 이유를 물어봐도 될까요?

- 안녕하세요. 반갑습니다. 좀 일찍 교수가 되어서 연금 받을 수 있는 때까지만 일했습니다. 딸린 가족이 없으니까 좀 적은 연금으로 살 수 있을 거 같아서요…. 젊은 사람들에게 일자리도 줄 수 있고요.

- 네. 서양철학이라고 하면 일반 독자도 어느 정도 알 텐데, 기호학은 좀 낯설게 다가올 수 있습니다. 간단히 소개해 주시면 좋겠습니다.

- 네. 말 그대로 기호를 연구하는 학문인데 모든 게 기호라는 점이 좀 헷갈리게 할 수 있어요. 언어도 기호

체계이고, 교통 및 해양 신호 체계, 모스 부호나 수화 등의 각종 신호 체계도 있습니다. 사물, 패션, 몸짓 등도 기호입니다. 심지어는 물리적 거리도 기호로 사용됩니다. 저는 이론 기호학보다는 필드 기호학, 그중에서 문화 기호학에 더 관심이 있었습니다.

- 그렇다면 제가 잘 찾아온 거 같네요 (웃음).

- 하지만 주제가 몸이라서 이야기가 좀 길어질 수 있습니다. 괜찮을까요?

- 네. 우선 몸과 정신의 관계에 관해 이야기를 시작하면 어떨까요?

- … 역사적으로 보면 서양에서는 인간의 마음, 정신, 영혼은 고귀하고 영원하며 신성하지만, 몸은 언젠가 늙고, 죽고, 썩는 외피로 여겼습니다. 흔히 데카르트 이후부터 몸과 마음의 근본적인 분리가 하나의 진리처럼 받아들여졌습니다. 정신에 직접 다가가는 것은 내면적 성찰을 통해서만 가능하다고 믿었고, 몸은 정신의 도구로 인식되었습니다. 금욕주의 시대에는 육체를 정신적 지복(至福)에 대립하는 악으로 보고 이러한 지복을 얻기 위해 스스로 신체에 고통을 주는 종교의식도 감행했답니다.

- 동양에서는 다른 관점이 있었나요?

- 동양 철학은 인간의 육체와 정신을 따로 구별하지 않습니다. 인간은 하늘의 요소와 땅의 요소가 하나로 공

존하는 가운데 실재하는 존재라고 봤죠. 하지만 주희는 기(氣)와 독립된 리(理)의 존재를 주장하기도 합니다. 따라서 동양 철학에서는 육체와 정신이라는 용어 자체가 적절하지는 않은 셈이죠. 그런데 주희 철학에 반기를 든 양명은 리와 기가 하나라고 주장합니다. 양명은 리와 기, 체와 용을 개념상 구분하지만 두 가지 실체로 보는 게 아니라 마음 안에서 일어나는 두 가지 상태처럼 제시합니다.

- 어렵네요.

- 철학적 차이를 따지면 그럴 수 있지만, 누가 옳다 틀렸다는 중요하지 않습니다. 오늘의 주제가 몸이니까, 이런 관점의 차이가 있었다는 정도만 기억하면 될 듯합니다. 그리고 다 옛날이야기잖아요.

- 네.

- 어쨌든 정신도 뇌의 활동이라는 데는 의심의 여지가 없잖아요. 뇌는 몸의 일부분이고요. 게다가 우리 소화 기관에는 2억 개의 뉴런이 있다는 사실이 밝혀졌고요…. 그것은 우리가 제법 똑똑하다고 여기는 개나 고양이 뇌의 뉴런 수와 비슷합니다. 장 신경계는 자율적으로 작동하므로 제2의 뇌, 영어로는 abdominal brain이라고 불립니다. 장 신경계가 장에서 연동운동과 체액의 균형 그리고 혈류를 조절하는 동시에 면역 시스템 및 미생물군과도 소통한다는 것은 이미 기정사

실이 됐습니다. 최근에는 장 신경계가 우리 감정 변화에 미치는 연구도 날로 늘어나고 있고요. 어쨌든, 뇌나다른 신체 일부분에서 무슨 이상이 일어나면 서로 막대한 영향을 받잖아요. 몸이 아프거나 아예 불치병에 걸리면 정신 상태, 종교관, 인생관이 바뀌죠. 반대로 신경계에 이상이 생기면 몸도 온갖 증세를 드러내고요. 이상한 행동, 마비, 경련을 일으키거나 눈빛도 바뀌고 어투를 비롯하여 장기적으로는 체형도 변합니다. 반대로 신나는 일이 있으면 몸도 좋아지며 특히 사랑을 느낄 때는 테스토스테론이 분비되고, 생식기, 심장 박동, 호흡에 즉각적인 변화가 옵니다.

- 동양 철학이 맞았네요. 하하.

- 과학은 아니었지만 그런 셈이네요. 이제 좀 편하게 이야기할까요?

- 네.

- 기호학에서는 두 가지 몸이 있다고 간주합니다. 유전적으로 물려받은 몸이 있고, 사회적·문화적인 환경 속에서 다듬어지는 몸도 있다는 말이죠. 세상에 나올 때는 동종이형으로 분류될 수 있는 유기체지만 몸은 소년이나 소녀라는 확연히 구분되는 사회적인 구성물로 아주 일찍부터 바뀝니다. 이것이 남성성과 여성성으로 구분되는, 이를테면 문화적이고 관습적인 젠더의 몸으로 바뀐다는 말입니다. 그 결과 남성에 비해 여성은

약한 몸을 갖는 존재로 다듬어지는데 그런 구분을 강요하지 않는 문화에 태어난다면 어느 정도는 다를 수도 있습니다.

- 오래전에 베이징에 간 적이 있는데 거기서 자전거로 베를린에서 온 두 여성을 봤어요. 그들의 몸은 웬만한 남성 이상의 근육 덩어리였는데요(웃음).

- 하하하. 바로 그겁니다. 연약한 여성으로 다듬어지기를 거부할 수도 있죠. 다음엔 베이징까지 가지 마시고 역도 선수를 보면 될걸요.

- 아~하.

- 그리고…, 대다수의 사회에서는 연령별로 사람을 달리 대우하잖아요. 일반적으로 경험론적 지식이 지배하는 문화에서는 나이 차이를 중요하게 여기고 원로 중심 사회를 만드는데, 이런 경우 특히 몸이 표현하는 나이는 커뮤니케이션에 영향을 미치기 마련이죠. 이를테면 나이 든 사람의 말을 좀 더 신뢰한다든지요. 이 때문에 나이와 젠더는 인간의 몸을 문화적으로 형성하는 근본적인 두 가지의 틀이라고 할 수 있습니다.

- 기본적인 매개변수인 셈이네요.

- 네. 어느 사회학자가 말했듯이, 우리는 몸을 가지고 있는 동시에, 우리 스스로가 몸입니다. 정체성 없는 몸은 없기 때문이죠. 동어반복처럼 들릴 수 있지만, 우리는 몸을 통해 사회적으로 존재한다는 의미에서 우리

스스로가 몸입니다. 우리 자신은 몸과 함께 바뀌잖아요. 이 때문에 몸과 주체는 하나가 되는 겁니다. 내 몸은 타인에 의해 분류될 수 있고, 내가 내 것으로 인정하거나 소유한다고 생각하기도 전에 몸은 나 자신입니다. 이렇게 몸은 주체로서, 자아가 구체화되고 주체성이 정의되는 공간입니다.

- 어렵네요.

- 이제 쉬워질 겁니다. 우리는 교육을 통해 많은 걸 배우잖아요. 교육 중에는 가정교육, 제도권 교육, 개인적 체험, 독서, 여행, 토론 등이 있는데 몸에 그렇게 투자하면 어땠을까요? 얼마나 건강하고 멋진 몸을 갖게 될까요? 하지만 이렇게 생각하는 사람이 많지 않잖아요. 동서양을 막론하고 몸은 그냥 아플 때만 조금 보살피거나 나이 들어 관리하는 대상이었습니다.

- 그렇군요.

- 몸이 정당한 대우를 받았던 시기는 르네상스입니다. 만물의 척도로 부상하는 인간은 드디어 육체의 아름다움을 뽐낼 수 있게 되죠. 르네상스의 화가들이 나체화를 과감하게 그리기 시작했다는 것은, 일상에서도 알몸과 사회적 몸이 드디어 하나가 된다는 의미를 갖습니다. 다시 말해, 피렌체에서 시작한 르네상스 운동은 의상과 매너를 몸의 일부로 통합하기 시작합니다. 그때부터 몸은 기능적 의미를 벗어나 문화적 의미를 갖

게 되는 거죠.

- 이제 재밌어집니다.

- 그러나요. 하하하. 계속할게요. 현대 사회에서 몸은 한 개인의 문화 정체성을 드러내는 도구가 됐습니다. 인류학자 마르셀 모스는 〈사회마다 남성이 자기의 몸을 어떻게 사용하는지를 아는 방식〉을 묘사함으로써 〈극한 상황을 제외한다면, 몸의 행동 중에서 자연 그대로의 형식은 없다〉고 주장합니다. 맞는 말입니다. 즉 걷기, 수영하기, 땅파기, 앉기는 물론이고 심지어 응시나 출산 같은 행위에도 범인간적·범문화적·보편적·내재적 형식은 없다는 것이 그의 주장이죠. 흑인들은 마치 춤추듯이 걷고, 인디언 여성들은 두 발로 서서 아이를 출산하잖아요. 아저씨의 몸과 아줌마의 몸이 있는가 하면 싱글족의 몸도 있다는 말입니다. 이렇게 몸의 형태와 움직임은 역사적으로나 환경적으로나 변하기 쉬울 뿐만 아니라 특정한 문화적 구성원임을 나타내는 후천적 속성을 다분히 갖습니다.

- 특정한 계층의 몸도 있다는 말씀이죠?

- 그렇습니다. 그래서 부르디외 같은 사람에 따르면 현대 사회에서 몸은 변별성 있는 상품이거나 자본입니다. 신호 위반을 했을 때도 미녀에 대한 경찰관의 대우는 제법 다를 수도 있잖아요. 헐헐. 어쨌든 부르디외는, 우리 몸의 표현들은 개인이 속한 사회계급에서 몸이

적응해 온 과정의 결과라고 강조합니다. 그런 표현을 타고난 건 아니라는 말이죠.

- 쉽게 말하면 싱글족 뉴요커가 있다면 공장에서 일하는 듬직한 아주머니도 있다는 거네요.

- 네. 그렇게 정리하시니까 조금 잔인하게 들리지만요….

- 한마디 더 하면 뉴요커는 자기 몸을 아는데 아주머니는 잘 모를 수도 있고요.

- 바로 그겁니다. 어쨌든 성의 구분이 명확한 문화일수록 남녀가 갖는 몸 차이와 인식의 차이도 크죠. 어떤 문화에서는 여성들이 마냥 귀엽게, 거의 유아적으로 행동하잖아요. 목소리까지 혀 짧은 소리를 내고, 토라져야 하고 걸음도 통통걸음이고요. 그런 사회에서 남성은 듬직하고 자상해야 하고 사회적 능력이 있어야 하는데 그 대신 좀 못생기거나 뚱뚱한 건 상관없겠죠.

- 하하하.

- 어쨌든 원시시대부터 일어난 노동의 분배로 인해, 여성은 남성에 비해 더 작은 신체 구조를 갖게 된 것도 같은 이유일 겁니다. 그리고 계급 사회일수록 신분의 차이가 몸으로 나타나잖아요. 유럽 중세에는 귀족과 평민의 키가 다를 뿐만 아니라 하층민은 허리를 굽혀야 했고, 조선시대에는 키는 잘 모르겠지만, 양반과 평민의 걷는 방식도 달랐습니다. 석공의 근육분포와 패

션모델의 그것은 다를 수밖에 없잖아요.

- 네.

- 이와 관련해서 부르디외는 아주 세밀한 분석을 하는데, 쉽게 말하면 정통 이슬람 사회처럼 자유연애가 불가능한 사회에서 여성이 몸매에 신경을 쓸 가능성은 적다는 겁니다. 따라서 이슬람 의상인 부르카 속에 숨겨진 몸이 S라인을 갖기란 쉽지 않겠죠. 내가 모르는 이슬람 특유의 에로티시즘이 있을 수도 있지만요…. 마찬가지로 문화·경제적으로 혜택을 받지 못한 계층의 아이들은 지적인 경쟁보다는 근력 경쟁에 일찍이 뛰어듭니다. 더 나아가 근육으로 경쟁하는 사회에서 날씬한 몸매를 가진 남성은 각종 오해의 대상, 이를테면 동성애자로 몰리는 대상이 될 수 있답니다.

- 네.

- 잠시 어려운 얘기 좀 할게요. 아비투스라는 개념이 있는데 이것은 부르디외 이론의 핵심 개념입니다. 그것은 〈사회적으로 구성된 인지 및 동기 구조체계로서 개인들에게 친숙한 상황과 낯선 상황을 연관 짓고 분류할 수 있는 계급 성향을 띤 방법들을 제공〉합니다. 인터뷰니까 출처는 생략할게요. 다시 말해 〈육체에 각인된 지배관계의 결과물로서, 구조화되는 구조이며 구조화하는 구조인 아비투스는 인식과 인정을 지배하는 실천의 원칙〉입니다. 아비투스는 위계적 사회 공간에서

형성되어 몸을 통해 자연스러운 것으로 받아들여지는 〈계급적 세계관〉이기도 하죠.

- 좀 어렵네요.

- 풀어서 말할게요. 〈계급적 세계관〉은 걷기, 뛰기, 먹기(또는 식사 매너), 어투와 어휘사용 등의 말하는 방식, 노는 방식 등 몸이 행하는 사소한 모든 것으로 표현되는데 막상 그 당사자는 그것이 어떠한 사회적 차이를 의미하는지를 잘 모른다는 말입니다. 좀 전에 말한 것과 같은 맥락이죠. 그런데 이런 차이를 인식하지 못하는 이유는 그런 행위들이 나름의 코드를 구성하고 그 코드는 다름 아닌 당사자가 속해 있는 문화·계층적 이데올로기에서 비롯되기 때문입니다.

- 코드라는 것도 풀어서 말씀해 주시면 고맙겠습니다.

- 본래 코드는 메시지를 만들 때, 또는 그것을 해석할 때 필요한 규칙입니다. 예를 들어, 식사 때 누가 트림하면 서양에서는 실례가 되는데 다른 문화에서는 별 상관이 없거나 잘 먹었다는 메시지가 되는 거죠. 그런데 문화 코드는 일종의 세트를 구성합니다. 대형 벤츠를 타는 사람이 요란한 가죽 소파를 좋아하고, 평등교육을 추구하기보다는 자기 자식만 사립학교에 보내는 식의 일관성을 갖는다는 겁니다. 몸의 사회적 행동들도 일관성을 갖습니다. 예를 들어 침 뱉기를 일삼는 사람의 식사 매너가 좋을 리는 없고, 고성방가를 즐기

는 사람이 클래식의 실내악 연주를 음미하기가 거의 불가능하겠죠. 따라서 식사 매너, 의상, 어투 및 어휘 사용, 노는 방식, 침 뱉기 여부 등은 각기 다른 행위이지만 그것들은 각각의 영역에서 변별적으로 구분되며 그럼으로써 전체적으로도 〈비례적 변별성〉을 만들어내는 겁니다. 이것이 몸의 문화적 정체성을 결정하는 구성적 표현 체계 또는 집합입니다.

- 나름 시스템을 구성한다는 말이네요. 그래서 계층별 차이가 있는 거고요.

- 바로 그겁니다. 마지막으로 취향의 계발을 말할 수 있는데 몸과 직결되는 것이 있다면 그것은 운동과 음식 소비일 겁니다. 쉴링이라는 사람은 〈취향이 몸에 미치는 영향과 계급이 취향의 발달에 미치는 영향을 극명하게 보여주는 실례는 바로 음식 소비〉라고 말합니다. 예를 들어 프랑스와 영국의 노동계급은 값싸고 기름진 음식을 많이 소비하는데 이는 상류층보다 높은 심장병 발병률에도 영향을 끼칩니다. 이렇게 운동과 음식에 관한 취향은 계층적 차이를 적나라하게 드러냅니다. 운동을 전혀 안 할 수도 있고 음식도 있는 대로 다량 섭취하는 사람들이 있다면, 반대로 어떤 운동을 하고 어떤 음식을 선택할 것인지 고민하는 사람들도 있겠죠. 전자는 문화·경제적으로 궁핍한 계층일 것이고, 후자는 그 반대의 계층일 겁니다. 안타까운 현실이죠?

- 부르디외라는 사람은 이런 걸 다 분석했다는 말씀이네요.

- 네. 아주 방대한 연구를 했습니다. 이런 소비 공간의 차이는 특히 미국에서 두드러지게 나타납니다. 세계 최고의 비만 인구를 자랑하는 미국에서도 상류층의 비만은 걱정할 수준이 아닙니다. 진짜 비만 인구는 불행히도 하급 계층에 모여 있어요. 미디어는 이런 계층이 주로 인스턴트 음식이나 패스트푸드를 소비하기 때문이라고 말하는데, 잘못된 경고는 아니지만 그렇다고 진짜 원인을 짚지는 못하는 겁니다. 이유는 그들이 속해 있는 사회적 위치가 그런 소비와 몸을 당연시하게 만들기 때문입니다. 구체적으로 말하면, 어떤 흑인 청년의 몸이 계속 비대해져도 그가 속한 사회적 위치는 그것을 문제로 인식하지 못하게 만드는데 주변도 다 그렇기 때문입니다. 만약 이런 청년을 전혀 다른 사회적 위치로 이동시키면 그는 아마도 새로운 문화적 환경에 맞는 몸을 가지려고 노력할 겁니다.

- ….

- 또한 이런 계층의 여성들은 자신의 몸을 관리할 생각조차 못 합니다. 좀 전에 언급한 쉴링은 〈그들은 남편과 자식들에게 우선 봉사하기 때문에 자기 몸의 욕구를 희생시킬 수밖에 없기 때문이다〉고 말합니다.

- 거의 공포 영화네요.

- 하하하. 이런 것 말고도, 전통적 이데올로기의 지배를 받는 몸도 있죠. 예를 들면 현모양처의 이데올로기에 사로잡힌 여성이 자신의 몸매를 섹시하게 만들 리도 없잖아요. 뭐, 섹시한 몸을 타고났다면 할 수 없지만요. 왜냐하면 현모양처의 성적 이데올로기는 쾌락보다 생식과 희생을 더 중요시하기 때문인데, 이는 앞서 언급한 이슬람 사회에서의 여성과 다를 바 없습니다. 이 경우는 계층의 문제라기보다는 보다 근본적인 젠더 이데올로기의 문제라고 보아야 할 겁니다.
- 그래서 젠더 문제를 언급하셨군요.
- 네. 결국 사회적 위치에 따라, 또는 종교와 같은 보다 전통적인 가치관에 따라 몸은 자아실현의 일차적 대상으로서 관리 및 보살핌의 대상이 될 수도 있고 아닐 수도 있다는 말이죠. 하지만 몸을 관리하든 안 하든 막상 당사자들은 그런 인식을 못 한다는 게 현실이고요. 반복하지만, 그런 인식이 사회 계층적 공간의 일부분을 구성하기 때문입니다.
- 그러면 몸은 어떻게 소통하는지 궁금합니다.
- 그것도 아주 무섭습니다.
- 오늘은 공포 영화 두 편을 보게 되네요.
- 하하하. 우선 우리가 가만히 있을 때, 이를테면 공원 벤치에 앉아 있을 때도 몸은 소통합니다. 내 몸이 그냥 보인다는 거죠. 그런데 인간은 언어를 통해 타인들

과 수많은 정보와 지식을 주고받잖아요. 언어 소통이 이루어지기 전이나 그것이 이루어지는 동안에도 우리는 항상 타인을 시각적으로 분석합니다. 그런 시각적 분석의 대상은 몸이며 이 결과는 커뮤니케이션에 큰 영향을 미칩니다. 그리고 이런 분석은 매우 짧은 시간에 처리되는데, 심리학자들은 첫 대면에서 상대방에 대한 호감 여부가 불과 3~4초 만에 결정된다고 말합니다.

- 헐. 3~4초 만에요. 이런 짧은 시간에 주고받을 수 있는 말은 기껏해야 틀에 박힌 인사말 정도일 텐데요…

- 맞아요. 그때 상대방의 어투, 체형, 의상, 시선, 행동이 거의 동시에 분석되는데 이 모든 요소는 분명 몸과 관련이 있잖아요. 단지 이런 몸은 벌거벗은 몸이 아니라 확장된 몸, 또는 사회적 몸의 의미로 이해할 필요가 있겠죠. 이 점을 인정한다면, 몸은 커뮤니케이션 선두에 있는 주인공이라고 할 수 있습니다.

- 면접 때 첫인상이 중요하다는 게 바로 이 때문이네요.

- 그런 셈이죠. 카페에 혼자 앉아 있는 여성의 몸은 내가 그녀에게 말을 걸지 말지를 말해 준다는 거죠. 그래서 나이트클럽에서 여성을 유혹하는 방법과 학술대회에서 어느 여성 발표자에게 질문하는 방법이 다르겠죠. 죽을 각오를 하지 않는 이상, 이라크의 외딴 마을에서 시커먼 부르카로 온몸을 가린 여성을 유혹할 사

람도 없다는 말이죠.

- 하하하.

- 결국 몸은 개인의 소유이지만 그것의 의미는 사회적으로 결정되는 셈이죠. 이렇게 의상, 태도, 동작, 자세, 소리의 높낮이, 손을 흔들거나 인사하는 등의 제스처, 표정 등 몸이 행하는 모든 것이 우리 자신을 드러내는 〈언어〉라는 말입니다. 그래서 기호학에서는 코드라는 말을 쓰는 겁니다. 그런데 그런 코드를 있는 그대로 지킬 수도 있고 가끔은 조금 벗어날 수도 있겠죠.

- 마치 일부러 비문에 가까운 표현을 쓰는 것처럼요?

- 맞습니다. 몸의 표현도 규범을 벗어남으로써 독창적이거나 심지어는 우스꽝스러운 의미를 만들 수도 있어요. 아놀드 슈워제네거가 아무리 비싼 양복을 입어도 세련된 사람으로 보일 가능성은 희박할 것이고, 그런 몸이 히피 의상을 입고 험머 Hummer를 몰면서 그린피스 운동가로 활약한다면 그것은 코미디가 되겠죠.

- 하하하.

- 요약하자면, 몸이라는 자아-표현은 항시 소통하고 있습니다. 몸은 침묵할 수 없기에 타인에게 항상 열려 있는 거죠. 진짜 무섭죠?

- 오늘 인터뷰는 책에 싣지 않고 혼자서 간직하고 싶네요. 하하하. 마지막 질문이 있습니다.

- 네.

- 한국에서도 점점 과체중과 비만 인구가 늘어나는데 비만 인구만 따지면 1998년 첫 집계 당시 26%였던 것이 2020년 38.3%로 조사됐습니다. 이런 변화를 어떻게 보시는지요.

- 사실 이런 변화는 주변만 둘러봐도 알 수 있습니다. 어떻게 보냐고요? 그건 술 한잔하면서 얘기하면 어떨까요. 말이 거칠게 나올 거 같네요. 하하하.

- 하하하, 알겠습니다. 그러면 오늘 인터뷰는 여기까지 하도록 하겠습니다. 다시 감사드립니다. 이제 식사하러 가실까요?

- 네, 가시죠.

인터뷰 #7

인생 디자인

- 우선 인터뷰에 응해주신 것에 감사드립니다. 사장님은 경주에서 작은 카페와 유튜브 채널을 운영하고 계십니다. 좋은 음악 덕분에 카페도 제법 유명한 거 같지만, 오늘 이렇게 인터뷰를 요청한 건 유튜브를 통해 여행과 취미, 사장님이 인생 디자인이라고 부르는 개념에 관한 아이디어를 많이 제시하시기 때문입니다. 게다가 사장님이 올리시는 동영상은 사업홍보와 전혀 관계가 없다는 점도 독자들에게 알리고 싶습니다.

- 네, 반갑습니다. 부탁하신 대로 인터뷰 준비를 안 했습니다. 질문하시면 그냥 편하게 답하도록 하겠습니다.

- 그렇게 부탁한 이유는 좀 더 자연스러운 대화를 나누기 위해섭니다. 다른 인터뷰에서는 다소 무거운 주제를 다루었거든요.

- 그럼요. 제 이름도 밝히지 않겠습니다.

- 네, 감사합니다. 그러면 인생 디자인이란 말은 어떤

의미를 갖는지요?

- 말 그대로 각종 디자인이 있듯이, 인생도 디자인해야 한다는 아주 단순한 생각입니다.

- 저도 평소에 비슷한 생각을 했는지 모르겠지만, 이런 단어를 접했을 때 반가웠습니다. 그러면 좀 구체적으로 말씀해 주시죠.

- 아주 기본적인 문제부터 이야기할게요. 우리는 원해서 태어난 게 아니잖아요. 우리 부모가 서로 사랑해서, 아니면 그냥 결혼해서 살다 보니 내가 이 세상에 나온 거잖아요. 나의 자유의지는 아니었다는 말입니다.

- (웃음) 그러네요. 그냥 묻는 건데요… 만약 선택이 있었다면요….

- 하하하. 아마도 나를 낳지 말라고 했을 거 같아요.

- 하하하. 이유는요.

- 별로 살만한 세상이 아니라서요.

- 하지만 동영상에서 이야기하시는 것과는 조금 상반되네요.

- 그렇게 보일 수 있지만 제가 설명해 볼게요. 문제는 이렇게 바뀌어 갔어요. 나는 어쩌다 보니 태어났는데 기왕 태어난 거 좀 자유로울 수 없을까? 좀 행복할 수 없을까? 등입니다.

- 아, 네. 알겠습니다.

- 그래서 나름 고민했습니다. 책도 좀 읽고 이것저것

검색도 해 봤습니다. 그런데, 내가 어쩔 수 없이 태어난 이 세상을 어떻게 보느냐가 가장 중요한 문제라는 걸 깨달았습니다. 너무 많은 선입견에 사로잡혀 있었다는 걸 알게 된 거죠.

- 계기가 있었을 텐데요.

- 계기라는 말의 정의도 정확하지 않은 거 같아요.

- 제가 알기로 계기는 어떤 일이 일어나거나 변화하도록 만드는 결정적인 원인이나 기회인데요….

- 저는 오히려 오랫동안 축적된 정보들이 어떤 (작은) 자극에 의해 시너지를 일으키는 현상이라고 보고 싶네요.

- 그렇군요…. 그래도 그와 비슷한 순간이 있었다면요? (웃음)

- … 음. 하나 고르자면… 인도에 처음 갔을 땐데요. 네팔에서 육로로 국경을 넘었는데 첫날부터 인도가 너무 싫었어요. 짜증 나는 일도 있었고 어쩌면 네팔에 먼저 간 게 문제일 수도 있고요. 어쨌든 델리에 도착했는데 어떤 거지 아이가 돈 달라면서 두 시간 동안 날 쫓아다녔어요. 그날은 이상하게 한 푼도 주기가 싫었어요. 일종의 오기로 두 시간을 걸으면서 버텼답니다. 결국은 내가 백기를 들고 몇 푼 주었답니다. 그런데 그 녀석이 고맙다는 말도 없이 멀어지더니 길 끝에 있는 할머니 거지를 보고는 그 돈을 다 주고 흥겹

게 사라지는 거예요. 한 번도 안 돌아보고요. 나는 넋을 잃고 한참을 서 있었습니다.

- 하하하. 그거 참 신기하네요.

- 그때 나는 도무지 이해가 안 됐습니다. 기존의 내 사고로는 불가능했습니다. 하지만 그날부터 내 머릿속이 바뀌기 시작한 거 같아요.

- 이를 테면요….

- 어쩌면 내가 가지고 모든 규범이 거의 다 틀렸다는 겁니다. 왜 내 나라를 좋아해야 하는지, 왜 착하게 살아야 하는지, 착하다는 게 뭔지, 왜 자위행위가 나쁜 건지, 왜 섹스가 나쁜 건지, 왜 씻어야 하는지, 왜 대마초가 나쁜 건지, 나에게 돈은 뭔지, 살 시간은 얼마나 남았는지 등등요.

- 실존적인 문제네요.

- 아뇨. 일종의 실용주의적인 문제입니다. 그래서 내가 원치도 않았는데 내 몸속에 새겨진 선입견을 죄다 재검토하기 시작했습니다. 여자, 부모, 친구, 동문, 돈벌이, 집…, 무엇이 어렵고 무엇이 쉽다는 선입견도 부수기 시작했답니다.

- 예를 들면요?

- 수학이 어렵다. 철학이 따분하다는 선입견요. 내가 싫어하면 어려운 건데…, 하지만 그것을 싫어하게 된 이유는 뭐냐는 거죠….

- 거의 철학자시네요.

- 그건 아닙니다. 어쩔 수 없이 태어난 것에 대한 최소한의 반동이죠.

- …

- 게다가 어느 날 리처드 도킨스라는 자가 쓴 책을 보는데 〈우리는 유전자의 생존 기계〉에 불과하다는 주장을 접했어요. 그때 모성애, 부성애, 결혼, 섹스와 관련된 나의 선입견이 정말 잘못됐다는 걸 다시 한번 확인했습니다. 그 사람의 주장이 진리가 아니라도 상관없어요. 적어도 나에게는 모든 걸 다시 보게 만들었으니까요. 그리고 선입견보다는 사회가 나에게 허락 없이 주입한 관념이라는 말이 더 정확하겠죠….

- 사회가 나에게 허락 없이 주입했다는 표현이 마음에 드네요. 그런데 많은 걸 거부하려는 반동 때문에 놓친 건 있지 않을까요?

- …. 좋은 질문입니다. 있겠죠. 바로 그 점을 망각하지 않는 게 가장 힘듭니다. 우연히 읽었던 데카르트의 회의주의가 그런 거 아닌가 하네요. 참, 그것도 마찬가진데, 어떤 사람과 이야기 나눌 때 데카르트를 언급하면 무슨 잘난척하는 꼴이 됩니다. 웃긴 건지 슬픈 건지…. 데카르트도 인간인데…. 어쨌든 17세기에 데카르트는 신을 부정하기 위해, 하지만 부정한다고 대놓고 말할 수는 없었잖아요, 그래서 모든 걸 의심한다는

주장을 펼친 거죠.

- 하하하. 그렇군요.

- 단지 그 사람은 사회가 창조론에 혼을 빼앗겼던 시절
에 살았잖아요. 지금은 모든 게 가족이고 소시민적이
고 몸조심해야 하는 시대고요. 그렇지만 그 폭력성이
나 파괴력은 유사합니다. 공개 화형만 없어졌을 뿐….
아무튼 기존의 규범을 거부하면서 그걸 거부하는 방
법까지 의심해야 합니다. 하지만 그 정도의 노력 없이
는 아무것도 얻지 못합니다. 참, 데카르트 말하니까,
좀 전에 말한 〈계기〉 비슷한 게 생각나네요. 학생 때
친구 따라 무슨 영화를 봤는데… 아마도 〈몰리에르〉
라는 영화였던 거 같아요, 프랑스문화원에서요. 그러
니까 인도 가기 훨씬 전이죠. 어쨌든 그 영화에서 젊
은 몰리에르가 십여 년 만에 파리를 찾은 데카르트의
강연을 보러 갑니다. 강연이 끝날 무렵 어떤 사람이
선생은 왜 네덜란드에서 사냐고 물어요. 데카르트 왈,
〈프랑스는 너무 경찰국가라서 자유로운 사고가 어렵기
때문이다〉고 답해요. 그때 나는 세뇌된 애국자라는 것
을 깨달았어요. 애니웨이….

- 언제까지 의심해야 하죠?

- 평생이겠죠. 하지만 아주 어려운 일은 아닙니다. 약간
의 회의적 시각만 가지면 많은 게 달리 보입니다. 일
종의 습관이랄까요.

- …. 그렇군요….
- 그래도 얻는 건 많습니다.
- 네…. 그러면 인생 디자인의 기본 틀을 간단히 말씀 하신다면요….
- 간단히 말하면 감옥에 갈 정도만 아니면 모든 걸 자유롭고 지혜롭게, 나만의 규범을 만들면서 마음 편하게 산다는 겁니다.
- 〈지혜롭게〉라는 말이 재밌네요. 너무 건전한 단어 같아서요. 하하하.
- 그러나요? 하기야 통상적인 의미로 보면 그럴 수 있죠. 그냥 내 몸이 허락하는 범위 내에서 하고픈 건 다 한다는 거죠. 아주 간단해요. 예를 들어 30대에 갈 수 있는 여행지 중에서는 온천은 아주 바보스러운 선택이라는 말이죠. 그때는 차라리 안나푸르나 트래킹이 더 〈현명한〉 선택이고, 온천은 60대 이후로 미룬다는 겁니다. 섹스도 하고 싶을 때 잔뜩 하고, 창녀를 차별할 필요도 없습니다. 매춘은 선불제일 따름입니다. 가장 오래된 직업이라고 하잖아요. 어떤 여자가 성형수술 잔뜩 하고 명품백 들고 다니면서 돈 있는 남자 눈에 띄고 싶어 한다면, 그건 뭐죠? 그리고 그 부모가 딸 시집갈 때쯤 강남에 전셋집을 구해서 강남에 산다고 말한다면, 그건 또 뭘까요?
- 하하하.

- 그리고 한국에서는 난리 나겠지만 저는 태국 가면 대마초도 기분 좋게 해요. 대신 중독성이 있거나 합성물 같은 건 절대 안 합니다. 돈 쓰는 일도 남을 따르지만 않으면 많이 절약할 수 있잖아요. 그리고 절약한 돈은 나만의 세상을 만드는 데 쓴답니다. 한국에서 룸쌀롱 가는 돈이면 베트남을 종단할 수도 있고. 캄보디아 시골 학교 아이들이 5년, 아니 10년 동안 쓰는 학용품을 살 수 있어요.
- … 헐.
- 아버지가 오래전에 돌아가셨는데 매우 위독할 때 내가 필로폰이라도 구해 오겠다고 했나 봐요. 옆에 있던 가족이 난리가 났습니다. 꼭 그런 말을 해야 하냐고 하면서요. 웃기죠? 고통을 덜어주기보다는 규범을 지키겠다는 발상요. 하하하. 다음날 돌아가셨고요.
- ……. 그래서 독신이신가요?
- 여기선 결혼이 의무이기 때문에 그런 의무에 내 인생을 던질 수는 없어요. 나를 이해하는 여자도 별로 없지만, 설령 처음에는 이해한다 해도 여자는 어떻게 바뀔지 모릅니다. 게다가 한국 여성들은 모성애를 앞세워 경쟁적이고 폭력적인 소비를 일삼고, 아이가 태어난들 과연 행복할지도 의문이죠. 학원, 학교, 취업, 경쟁, 집 고민하다가 늙어 갈 게 뻔하잖아요. 그 대신 나는 1년에 한 번은 앙헬레스에 가서 편하게 즐기고

옵니다.

- 필리핀 앙헬레스요?

- 네. 작은 수영장이 있는 호텔에서 아리따운 여성과 며칠 보내고 옵니다. 스쿠터를 빌려 여기저기 다니고요. 그녀들은 정말 예쁘고 착할 뿐만 아니라 고마워할 줄 알거든요. 그리고 몸매가 기막힙니다. 하하하.

- …. 국내에서 해소하는 방법이 있다면요?

- 오래전에 만났던 여자가 한 명 있는데 가끔 봐요. 세월이 지나다 보니 그냥 친구가 됐는데 가끔은 먼 훗날 그 친구랑 여생을 보낼까 해요. 십여 년 전에는 말다툼도 많았고 진짜 헤어졌다가 다른 사람 만나서 결혼했지만 실패한 친구죠. 물론 그전에 앙헬레스가 식상해져야겠죠. 참 〈결혼 실패〉도 말이 안 되네요. 그보다는 〈독립 성공〉이 더 맞는 거 같습니다. 하하하.

- 여자를 참 좋아하시네요.

- 여자처럼 삶에 동기를 불어넣는 존재도 없을 겁니다. 나의 인생관만 이해한다면 최고의 시간을 가져보려고 노력하거든요.

- 기억에 남는 추억이 있다면 하나 말씀해 주시죠.

- 음…, 한 번은 어떤 여자친구와 호찌민-프놈펜-방콕을 육로로 배낭 여행했는데 귀국 전 이틀은 고급 호텔을 예약했고 마지막 밤은 그 친구 몰래 주문해 놓은 돔페리뇽 샴페인을 스카이라운지에서 마셨어요. 그

냥 작은 감동을 주고 싶었어요.

- 일종의 시그니처였네요. 하하하. 저도 한 번은 해보고 싶네요.

- 그러기 위해서는 10달러짜리 방에서 열흘을 넘게 자야 하는데요! 그래야 100달러짜리 호텔 방이 감동을 줍니다. 하하하

- 하하하. 거기에 돔페리뇽…. 말만 들어도 맛있는 취기가 도네요.

- 그런데 꼭 하고픈 말은, 내가 계획한 방향이 옳다는 말은 절대 아니라는 겁니다. 그냥 가축무리처럼 살기 싫어서 이런저런 생각을 하게 되었고 그러면서 몇 가지 방법을 시도했을 뿐입니다. 어떤 사람이 아주 순응적인 삶을 살기로 스스로 결정했다면 당연히 존중받아야죠.

- 네…. 오늘 얘기를 나누면서 저는 꽤 많은 단어가 선입견에 오염되었다는 걸 알게 되었습니다. 특히 우리가 긍정의 의미로 받아들이는 것 중에서요.

- 맞아요. 많습니다. 무슨 책 제목과 비슷한 표현이지만 우리는 언어의 감옥에 사는 거 같아요. 사회성, 올바름, 의리, 선생님, 대통령, 좋은 집안, 영어에서는 first lady… 너무 많습니다.

- 그러네요. 올바름은 누가 정했는지 따지면 정말 그러네요. 사회적 규범과 단어의 의미는 바뀌기 마련인

데….

- 그중 의리라는 단어가 정말 웃깁니다. 그것은 이타주
의 탈을 쓴 이기주의의 진액인데 말이죠. 주로 조폭이
많이 쓰는데도 아주 좋은 의미로 통용되잖아요. 아직
뿌리 깊은 집단주의에 대한 애착 때문일 겁니다. 그래
서 사람들은 이기주의와 개인주의를 혼동합니다. 이기
주의는 그냥 얌체이고 개인주의는 집단주의의 반대말
에 불과한데 말이죠. 하하하. 모순되는 문장도 많아요.
예를 들면 〈모범적이고 창의적인 학생이 돼라〉는 말
은 열흘 굶긴 놈한테 에베레스트를 뛰어 올라가는 말
과 같습니다. 창의성와 모범성은 물과 기름이잖아요.
first lady는…, 하하하 그냥 공무원 마누라가 일등 마
누라다. 하하하. 아직도 대중은 임금님을 원하는 거
같아요. 하하하. 아니면 아직도 중세를 벗어나지 못한
건지 모르겠네요. 그리고 조금 다른 얘기지만 〈돌다리
도 두들겨 보고 건너라〉도 웃기지 않나요? 하하하. 이
토록 소시민적이고 보신주의적인 슬로건이 있을까요?
- 하하하. 여행도 많이 하시는 거 같은데 소통에는 어
려움이 없나요?
- 별로 못 느꼈어요. 아, 참. 영어도 다시 생각해야 해
요. 너무 완벽한 문장으로 말하면 전달이 안 되는 경
우가 많거든요. 그냥 누가 마음에 들면 〈you good
man〉하면 되잖아요. 음…, 재밌는 얘기가 생각나네

요. 아주 오래전 방콕에서 단골 마사지 아줌마가 한 말인데 대충 이렇습니다. ⟨Me sad today. My boy no school. Every day motorcycle, motorcycle. Every day new girl, Yesterday one girl call me Mama!⟩. 그래서 내가 ⟨how old you(r) boy⟩라고 물으니까, 아줌마는 ⟨My boy only sixteen⟩이라고 답했어요. 얼마나 웃기는지…. 하하하. 여하튼 이런 말을 못 알아들을 수는 없잖아요. 이건 중학교 2학년 수준 영어이고 여행할 때는 충분합니다. 어떤 사람들은 영어를 너무 잘하려다가 아예 못하는 거 같아요. 아니면 아무리 배워도 안 된다고 고집하는 건지… 어쨌든 신기합니다. 스스로 만드는 언어장애라고 할까요…. 하하하. 그나저나 오랜만에 말을 많이 하니까 저도 취기가 느껴지네요. 하하하.

- 하하하. 그건 저도 동의해요. 어차피 두 가지의 영어가 생겼잖아요. 하나는 본토 영어이고 다른 하나는 소통 영어죠. 소통 영어를 정리한 글로비시라는 목록도 있잖아요.

- 그렇군요. 하지만 영어도 생각하기 나름이라는 말입니다.

- 그렇다면 무슨 선거가 있을 때는 투표 안 하시겠네요?

- 안 합니다. 예전엔 했는데…. 한국의 유권자 인구가 4

천4백만 명인데 1/44,000,000이 되기도 싫고, 등산복 차림으로 떼 지어 투표하는 이들과 똑같은 표를 행사하는 것도 의미가 없어요. 民을 잔뜩 세뇌한 다음 민주주의라는 간판을 내세우는 것은 명백한 사기입니다. 民이 주인이 되는 날이 오면 다시 투표할 겁니다.

- 저는 그냥 짜증 나서 안 하는데 나중에 변명할 이유를 주시네요. 하하하. 그런데…. 친구 많으세요?

- 친구요… 한동안 없었습니다. 그런데 다시 연락이 오는 이들도 있네요. 그중에는 애를 둘씩 낳고 아주 규범적으로 살았는데 이제는 허전한 마음이 들어서 연락한다고 하더군요. 이해는 합니다. 그리고 앙헬레스에 가서 만나는 여자도 이젠 친구처럼 느껴져요. 예쁜 친구죠…. 그렇지만 후회 없는 인생을 살려고 이것저것 하다 보니 아쉬움이 남긴 합니다.

- 어떤 아쉬움일까요.

- 남한테, 주변 사람들에게 매우 냉정했다는 정도예요. 하지만 어쩔 수 없는 일입니다.

- 음…. 그러면 노년은 어떻게 계획하시나요.

- 일년내내 날씨가 따뜻하고 바다가 멀지 않은 곳으로 떠나야겠죠. 몇 곳 봐뒀어요.

- 어딘지 물어봐도 될까요?

- … 필리핀 반타얀이나 팔라완도 좋고요. … 태국의 뜨랏도 조용하고 살기 좋습니다. 캄보디아도 가깝고 코

창도 있고요.

- ….

- 그리고 죽는 날 〈열심히 살았다 이젠 좀 쉬자〉라는 혼잣말을 남기고 싶네요.

- 그냥 그걸로 끝나나요?

- 나랑 하룻밤이라도 보낸 모든 여성에게도 감사하고 싶어요.

- 하하. 그게 중요한 거 같아요.

- 마지막으로, 자유를 가로막는 게 있다면 무엇일까요?

- 음…, 자체 검열입니다. 스스로 알아서 제동을 걸게 하는 마음가짐이라고 할까요? 그건 한국이 참 심하답니다.

- 구체적으로 말한다면요?

- 눈치 보거나, 머뭇거리거나, 내 말을 상대방이 어떻게 받아들일지 등 너무 많은 생각을 한다든지… 뭐 그런 거죠. 그런 건 삶의 생동력을 없애고 추진력이 떨어뜨립니다. 유머는 꿈도 못 꾸고요. 그나저나 〈넌 눈치도 없냐〉는 말도 웃기지 않나요? 바꾸어 말하면 〈눈치 좀 봐라〉인데. 하하하. 눈치 보는 세상이라….

- … 네. 오늘 인터뷰 참 고맙습니다. 이제 나가서 식사하면서 남은 얘기를 나눌까요?

- 음…. 그전에 여기서 화이트 테킬라 몇 잔 드리고 싶네요. 스페인식 플라타도 하나 준비했습니다. 멀리서

오셨는데…

- 와우. 고맙습니다.
- 자. 음악 하나 틀고 테킬라 가져올게요. 오랜만에 더
  크래쉬의 〈런던 콜링〉을 틀겠습니다. 담배도 편하게
  피우세요. 피울 수 있는 건 담배밖에 없네요.
- 하하하.

그날 우리는 테킬라 병을 다 비우고 인터뷰에서 못다
한 얘기를 나누면서 많이 웃었다. 얼마나 웃었는지 다음
날 기차에서 내릴 때까지 웃음 근육이 풀어지지 않았다.

* * *

에필로그

어느 날 방콕에서 소야 프라야 강을 내려오는 배 위에서 여행자 두 명과 잡담을 나누게 되었다. 몇 마디 끝에 남성은 네덜란드에서 왔고 여성은 체코 사람이라고 했다. 순간 나는 밀란 쿤데라의 팬이라고 반응했고 그녀는 깜짝 놀라면서 환하게 웃었다. 그러자 남자는 그게 누구냐고 물었다…. 그때 나는 두 사람의 짧은 인연이 끝나는 걸 목격했다.

우리는 사소한 일을 매일 겪지만, 나는 우리의 운명이 앎의 의지에 달린 건 아닌지 가끔 자문한다. 마치 나비효과에도 인과관계가 있듯이….